Alexandre Campos de Souza
André Chaves
Marcio Ogliara

(RE)START ME UP

Dê uma nova chance para **sua carreira**

Publisher
Henrique José Branco Brazão Farinha
Editora
Cláudia Elissa Rondelli Ramos
Preparação de texto
Gabriele Fernandes
Revisão
Ariadne Martins
Renata da Silva Xavier
Projeto gráfico de miolo e editoração
Lilian Queiroz | 2 estúdio gráfico
Capa
Rubens Lima
Impressão
Assahí Gráfica

Copyright © 2017 *by* Alexandre Campos de Souza, André Chaves e Marcio Ogliara.
Todos os direitos reservados à Editora Évora.
Rua Sergipe, 401 – Cj. 1.310 – Consolação
São Paulo – SP – CEP 01243-906
Telefone: (11) 3562-7814/3562-7815
Site: http://www.evora.com.br
E-mail: contato@editoraevora.com.br

DADOS INTERNACIONAIS PARA CATALOGAÇÃO NA PUBLICAÇÃO (CIP)

S713r

Souza, Alexandre Campos de
   (Re) start me up : dê uma nova chance para sua carreira / Alexandre Campos de Souza, André Chaves e Marcio Ogliara. -São Paulo : Évora, 2017.
   160 p. ; 16x23 cm.

   ISBN 978-85-8461-118-8

   1. Orientação profissional. 2. Profissões – Desenvolvimento. I. Chaves, André. II. Ogliara, Marcio. III. Título. IV. Título: Re start me up

CDD- 650.1

JOSÉ CARLOS DOS SANTOS MACEDO – BIBLIOTECÁRIO – CRB7 N. 3575

AGRADECIMENTOS

Escrever um livro sobre carreiras é um desafio que nos faz refletir sobre nossa própria trajetória e reconhecer que muitas pessoas nos ajudaram a cada momento, a cada passo. A presença da família sempre foi fundamental – meus filhos João e André (agora com o Joaquim) sempre me apoiaram na busca de ser um profissional e uma pessoa melhor. Colegas e chefes, companheiros de empresas ou de profissão foram e são uma fonte permanente de aprendizado e, acho que tive sorte, de muitas alegrias e conquistas. E na aventura deste livro, foi um privilégio ter a companhia do Alexandre, do André e do Rodrigo.

Marcio Ogliara

Este livro é para mim uma obra coletiva, pois muitos foram fundamentais na sua construção.

Agradeço a Marcio Ogliara e André Chaves, os loucos e sábios amigos que resolveram empreender uma jornada ao escrever esta obra. E a Rodrigo Almeida, que, dos bastidores, nos ajudou sobremaneira.

Agradeço aos meus gestores com quem refleti e aprendi observando seus diferentes estilos, em especial: José Wilson Paschoal, Leila Loria, Françoise Trapenard, Ricardo Khauaja, Silvio Genesini e Daniel Zanela.

Agradeço às minhas equipes, meus pares e clientes, com quem compartilhei desafios e realizações.

À minha mãe e irmãos: Dona Cleide, André, Mariana e Veridiana, que sempre me estimularam a ser maior do que meus sonhos.

Aos meus queridos amigos Edison Carlos, Nasir Habib, Luís e Dini Sarpa, que fizeram mudanças importantes em suas carreiras ao atravessar os momentos de crise.

À Joanna Helena da Cunha Ferraz, fundamental na minha travessia pessoal e profissional.

E, por fim, à Marianne Nicklas, companheira de muitas jornadas nas idas e vindas da vida, sempre apoiando minhas ideias e empreendimentos, mesmo que soassem a mim mesmo impossíveis.

Alexandre Campos de Souza

Agradeço primeiramente à minha estrela-guia, minha mãe, Thais Chaves de Moraes Leme, onde quer que ela esteja, sempre uma grande referência e exemplo de conduta para mim. A meu pai Célio de Quadros Moraes Leme, meus irmãos Célio Leme, Luciano Leme e Maria Isabel Lima por todo apoio.

Agradeço à minha querida esposa Fabiana Iara de Moraes Leme, meus filhos Rafael Leme e Beatriz Leme por toda paciência, suporte e motivação que me deram durante esta jornada.

Quero agradecer aos meus parceiros Marcio Ogliara e Alexandre Campos de Souza pela coragem em embarcarem comigo nesta empreitada.

Agradeço aos meus amigos Rodrigo Almeida, Rafael Pongelupi e Henrique Farinha por acreditarem no projeto e por terem participado ativamente da sua criação.

E, por último, às centenas de profissionais com quem trabalhei e que em algum momento foram grande fonte de inspiração para a realização desta obra.

André Chaves

PREFÁCIO

O ANTÍDOTO CONTRA A VIDA MERDA!

Os poucos incautos que acompanham mais de perto o que eu faço, falo e escrevo podem ter alguma familiaridade com esta história que volta e meia conto e escrevo por aí.

Mas falando em incautos, já que os autores cometeram a gentil imprudência de me convidar para escrever o preâmbulo que segue porque, palavras deles, entendem que as causas da *Trip* e a forma como tocamos a vida e o trabalho parecem combinar com os achados que perfazem o trabalho que você lerá a seguir, me sinto à vontade para reproduzir um pouco essa mistura de parábola com *making of* de uma entrevista com um dos maiores gênios da história recente da humanidade, título respaldado pela autoridade de quem viveu mais de um século de forma atuante, original e corajosa: Oscar Niemeyer.

Uns vinte anos atrás, Oscar, então um garoto com cerca de 90 anos de idade, aceitou generosamente receber a equipe da *Trip* para uma memorável entrevista publicada nas nossas "páginas <u>negras</u>". Fiz questão de encabeçar o time pessoalmente, escalando para a tarefa o arquiteto e designer gráfico Rafic Farah, o fotógrafo e jornalista Giuliano Cedroni, entre outros bravos companheiros. Antes de seguir para o Rio de Janeiro, como mandam as boas práticas, fizemos pesquisas aprofundadas e preparamos o que tínhamos de melhor em termos de perguntas que julgávamos mais pertinentes e inteligentes para formular ao maior arquiteto vivo da época. Chegando ao famoso escritório/ateliê de Niemeyer, perto do forte de Copacabana, devidamente recebidos por ele e seu assistente e instalados numa mesa ampla e confortável, foi impossível não perceber um certo ar de enfado no semblante marcado e ligeiramente mal barbeado do parceiro de Lúcio Costa.

Quanto mais elaboradas e bem tramadas as perguntas sobre a importância da arquitetura, as obras realizadas e mesmo sua biografia, mais evasivas as respostas e profundos os suspiros.

A uma certa altura, Niemeyer, apontando para uma estante repleta, dispara o tiro de misericórdia: "Meus filhos, sobre isso eu já falei tudo o que tinha para falar... Vocês podem levar alguns desses livros... está tudo lá... arquitetura não importa...nada disso importa muito... o que importa é gente..."

Como líder da brigada da *Trip*, cabia a mim tentar ressuscitar a entrevista que naquele momento parecia mais morta e inútil do que uma bicicleta de *spinning* em casa de saci.

O que de melhor me ocorreu para o momento foi virar o barco na direção para a qual o velho prático apontava: "Então, Oscar, o que precisamos saber para lidar melhor com gente?"

De repente o rosto emoldurado por orelhas enormes se iluminou levemente. A carranca cedeu um pouco e um pingo de interesse foi tomando seu lugar. Oscar, que até então olhava mais para o tampo da mesa do que para nossos olhos, ergueu sua torre de comando em nossa direção e disparou a frase lapidar de precisão e grandeza raras: "O importante é não ter uma vida merda".

E explicou com mais algumas frases soltas: "Não deixar se conduzir pela ganância ou por objetivos menores, que não levem em conta o todo, que não defendam os interesses dos outros além dos seus próprios, que não pensem no coletivo... enfim, não deixar que a sua vida seja uma vida merda...".

É esta, na verdade, a grande, verdadeira, única e monumental causa que orienta minha existência e, por consequência, da empresa que toco com meus parceiros que só estão lá porque compartilham dela sem nenhuma concessão.

Talvez uma boa maneira de classificar o livro que você segura seja esta: um manual antivida merda. Alexandre Campos de Souza, André Chaves e Marcio Ogliara vestiram seus escafandros e empreenderam um longo, profundo e frutífero mergulho no vastíssimo oceano das relações entre as pessoas e o trabalho. Num mundo que assiste, entre perplexo e desconfiado, a uma gigantesca faxina cósmica durante a qual uma espécie de esfregão planetário parece não deixar nem um cantinho sem ser completamente revirado, chacoalhado e colocado do avesso, os três encheram seus pulmões com o oxigênio puro reservado a quem sabe manter seus alvéolos abertos para aspirar o que há de mais fresco na atmosfera.

Assim, indo de Camus ao MIT, de Sísifo ao Mindfulness, de Eduardo Giannetti a Maynard Keynes, os autores prestam o nobilíssimo serviço da curadoria. Uma ideia antes de tudo amorosa. Sua origem, aliás, vem da noção de cuidar. O curador é aquele que, para cuidar de quem preza, escolhe os melhores unguentos e antídotos para lhe ministrar.

Aqui vai outra forma de classificar o livro: um antídoto contra as centenas de tipos diferentes de venenos que passeiam à nossa volta, ávidos por penetrar em nossa corrente sanguínea, provocando os mais nefastos sintomas da "vida merda", existências sem sentido, marasmos infindáveis, medos petrificantes diante de mudanças, ameaças imaginárias, ambientes sem tesão, relações humanas xoxas, dinheiro como um fim.

Percebendo um leitorado desassistido, rodeado por bateladas de manuais de autoajuda que pouco conseguem além de repetir o cantochão do "siga os seus sonhos" e pelos guias escritos por "líderes" e ganhadores de dinheiro seriais que lograram acumular tesouros incalculáveis, mas não sabem de cor o nome dos filhos nem dos vizinhos e para os quais o país não é muito mais do que aquele lugar que fica para trás quando seus jatinhos decolam, nosso trio de curadores resolveu agir.

Assim, Alexandre, André e Marcio encararam a genial tarefa de realizar algo que os americanos costumam fazer com excelência há muitas décadas e que nos nossos ambientes cultural e de negócios ainda adolescentes são *avis rara*: sintetizar e embalar de forma palatável e gostosa uma nuvem enorme de grãos de saber dispersos em palestras, livros, artigos acadêmicos, clássicos da literatura, programas de TV e aforismos ditos em entrevistas que, uma vez compilados e organizados de maneira inteligente e organizada, prestam um serviço objetivo e essencial. Não satisfeitos com o que por si já seria uma contribuição bastante importante, vão pontuando seus achados com reflexões baseadas em bom senso e em rodagens consideráveis por estradas paralelas, porém diferentes.

O resultado, você vai ver, é uma síntese eficaz de boa parte do que há de mais relevante e atual no pensamento sobre o futuro das relações entre pessoas e a ideia de trabalho. Em última análise, entre as pessoas e a vida. Uma reflexão sobre como queremos, daqui para a frente, usar esse tempo exíguo que nos é dado nessa dimensão e parar de agir como toupeiras que aceitam trocar suas vidas por um punhado de moedas.

Como dizia o arquiteto de orelhas e horizontes enormes, é fundamental dedicar cada segundo de nossas existências para que não tenhamos uma vida merda.

Nenhum de nós.

Pelo fim da vida merda!

Paulo Lima,
Editor da revista *Trip*.

SUMÁRIO

INTRODUÇÃO 1

PARTE 1 – O TRABALHO 9

1. REVENDO O CONCEITO DE CARREIRA 11
2. A INVENÇÃO MODERNA: O TRABALHO COMO VALOR EM SI 19
3. O TRABALHO COMO FELICIDADE: TER DINHEIRO, CONQUISTAR STATUS E FAZER A DIFERENÇA? 25
4. SEU NOME É TRABALHO? FALANDO EM *WORKAHOLICS* E *WORKLOVERS* 31
5. O PECADO DO ÓCIO E A DIFÍCIL EQUAÇÃO DO TEMPO 37

PARTE 2 – VOCÊ 45

6. ENCONTRANDO UM PROPÓSITO 47
7. AUTOCONHECIMENTO, O (RE)COMEÇO 57
8. EM QUE PARTE DE SUA CARREIRA VOCÊ ESTÁ? 63
9. POR QUE RESISTIMOS À MUDANÇA 69

10. CURTO OU LONGO PRAZO: AS ARMADILHAS
DE CADA UM 77

PARTE 3 – O SUCESSO 85

11. ONDE ESTÁ O SUCESSO? 87
12. ENCONTRANDO O QUE NOS MOTIVA 95
13. FELIZ NO TRABALHO, INFELIZ NO AMOR, OU VICE-VERSA.... 103
14. COMO INVENTAR O PRÓPRIO EMPREGO 111

PARTE 4 – O FUTURO 121

15. FAZENDO DAR CERTO 123
16. A AMPLIAÇÃO DE REPERTÓRIO EM BUSCA
DE NOVOS CONHECIMENTOS 129
17. UM SONHO PODE VIRAR REALIDADE 135
18. PARA PENSAR O FUTURO 141

SEMPRE É HORA DE RECOMEÇAR

Você provavelmente já ouviu falar do mito de Sísifo. E muito possivelmente, ao acordar todos os dias para trabalhar, também pôde se identificar de alguma forma com esse personagem mitológico, condenado pelos deuses a carregar uma imensa pedra até o topo de uma montanha – e a sempre vê-la despencar ladeira abaixo.

Aquela foi a punição sofrida pelo ardiloso camponês Sísifo por desafiar os deuses: uma vez capturado, teria de empurrar a pedra até o topo, a pedra então rolaria para baixo, e ele precisaria começar tudo novamente. Era como se com aquela punição lhe mostrassem que a liberdade dos deuses só cabia a eles, jamais aos mortais. E, embora reconhecesse a falta de sentido naquilo, Sísifo continuaria executando sua tarefa diária. Um castigo. Um trabalho rotineiro e cansativo. Uma missão (e uma vida) monótona.

Em 1941, o filósofo e escritor francês Albert Camus retomou o mito para explicar a condição humana. Um dos mais importantes representantes do existencialismo explica assim a vida dos homens, tal como o mito: seguir uma rotina diária, sem sentido próprio, determinada em geral pela religião e pelo sistema capitalista. No mundo real e administrado, levantamos de manhã, trabalhamos, comemos, reproduzimos, no dia seguinte levantamos, trabalhamos, comemos, reproduzimos, e depois fazemos tudo de novo. Isso não faz o menor sentido, escreve Camus, porque se refere às formas de pensar impostas ao indivíduo sem que ele participe da estruturação desse modo de vida, como se não tivesse escolha.

Ainda que não precisemos chegar aos extremos de Camus – que classificou isso tudo como "uma vida de absurdos" –, o mito serve para ilustrar a punição com a mesmice e alertar para a compreensão sobre a liberdade e a responsabilidade humana em relação à sua vida, ao seu mundo e aos outros.

Quantos de nós, mesmo aqueles que lidam de alguma forma com o trabalho criativo, já não nos sentimos aprisionados à rotina, como se ela se repetisse de uma forma monótona, tediosa, melancólica, incômoda e triste? Mais do que isso, quantos de nós nos vimos inertes diante das tarefas diárias, incapazes de nos mover rumo a uma prática e a um destino diferentes? A quantos de nós faltou coragem para fazer algo distinto, para recomeçar de outro modo? Tudo isso apesar da insatisfação com o presente, da vontade de mudar e da necessidade de recomeçar?

A metáfora para uma tarefa interminável, sempre inacabada, é também uma metáfora para o absurdo de viver infeliz com algo e de se acomodar a esse estado de infelicidade e insatisfação. A inércia – sim, a Primeira Lei de Newton, como aprendemos na escola – sempre pareceu reger o ser humano, de hoje ou de outros tempos: a tendência dos corpos, quando nenhuma força é exercida sobre eles, é permanecer em seu estado natural, seja em repouso, seja em movimento retilíneo e uniforme.

Em outras palavras, as pessoas em geral têm uma vocação especial para a repetição, para a tradição, para a ordem, para a continuidade das coisas. São estruturalmente resistentes à mudança e ao recomeço – a busca pela zona de conforto e a vontade de ali permanecer são duas das características mais essenciais de homens e mulheres, quer pobres ou ricos, brancos ou negros, quer católicos ou protestantes, jovens ou anciões.

Em muitas esferas de nossa existência, esses traços significam abdicar de elementos fundamentais para qualquer um de nós: a busca do sentido da vida, o sentimento de realização, a satisfação com o que somos e com o que fazemos, a superação das aflições vitais que nos atingem universalmente, tanto no trabalho, na carreira, como na vida pessoal. Significa abrir mão de nossa capacidade de fazer escolhas, de buscar o nosso próprio protagonismo na vida, de recusar a ideia de nos resignarmos a coadjuvantes – "deixe a vida me levar" só é bonito e interessante como verso musical. Quando impera o medo diante do novo, da mudança, do recomeço, prevalecem também a inércia, a insatisfação e a resignação.

Algo curioso – e mesmo paradoxal – ao se pensar no tempo em que vivemos. Uma época de velocidade implacável no cotidiano, de incertezas, de mudanças contínuas, de duras exigências, de expectativas exacerbadas e desafios constantes, de busca pela felicidade a qualquer preço – um tempo, enfim, em que virou obrigação ser feliz e se sentir realizado.

O século XXI tem a marca generalizada do sentimento de mudança rápida e difícil de ser acompanhada – o que traz exigências ainda maiores para profissionais de todas as áreas. Alguém que, feito mágica, dormisse no ano de 1100 e acordasse em 1300 não teria dificuldade em reconhecer o mundo que abandonou no início do seu sono. Outra pessoa, no entanto, que fizesse o mesmo em 1980 e despertasse hoje não teria sequer vocabulário para encarar o mundo. Ouviria um "me passa um WhatsApp" e não saberia o que fazer. Pode parecer um exemplo bobo, porque naturalizamos essas mudanças. Mas não é algo pequeno. Vive-se uma mudança técnica notável e veloz, o que tornou as habilidades e os conhecimentos dos mais velhos ultrapassados. Pessoas e empresas sofreram de obsolescência muito cedo.

Gerações e gerações cresceram tendo como ideal um concurso público. Banco do Brasil ou Petrobras, por exemplo, eram sonhos de consumo de emprego para muitas pessoas de todas as classes sociais. Muitos das gerações mais novas, entretanto, caracterizam-se pelo desapego total e absoluto a corporações e são capazes de saltar de um canto a outro sem pestanejar – o que importa é um novo desafio se delinear à vista. Conhecemos a morte do conceito de "emprego vitalício", hoje uma relíquia guardada na memória do século XX. Em seu lugar, surgiu um mundo de contratos de curto prazo, empregos temporários, buscas profissionais erráticas – tudo isso nos força a fazer cada vez mais escolhas, muitas vezes contra a nossa vontade.

Era do descartável? Para alguns, sim, e com um caráter negativo. Mas em muitos casos descartar o antigo, e não tentar consertá-lo, pode ser saudável e benéfico. Em outros, pode ser sinônimo de mais angústias e mais escolhas indesejáveis. Não há preto no branco nessas questões, e sim muitos matizes cinza.

Se a busca da felicidade é algo que sempre existiu desde que o homem é homem, a realização no trabalho é uma invenção recente. O desejo de encontrar no trabalho um verdadeiro senso de propósito, capaz de refletir nossos valores, nossas paixões e nossa personalidade, é algo próprio da sociedade moderna. Antes disso, pensava-se muito mais na subsistência do que na reflexão se o seu emprego era ou não estimulante ou se aproveitava seus talentos para promover o seu próprio bem-estar. Para muitos estudiosos sobre o tema, vivemos numa nova era de realização – segundo essa premissa, não basta mais obter dinheiro, benefícios e segurança. Pagar o financiamento da casa ainda é importante, fundamental até, mas muitas pessoas precisam de algo mais para alimentar sua fome de viver. Precisam de um sentido. Precisam sentir-se realizadas.

Eis uma combinação explosiva: ampliação de incertezas, mudanças frequentes, crises econômicas constantes, aumento de exigências e padrões crescentes de esforço para ser bem-sucedido com nosso medo estrutural diante do novo. Nesse caldo de desejos, necessidades e vontades ainda se coloca a onda cada vez maior em torno de um sentido para a vida e a realização profissional.

O resultado pode ser a paralisia completa ou a ação para romper o estado de inércia, superar a eventual insatisfação do momento ou simplesmente trabalhar (sem trocadilho) para continuar a ser feliz em sua atividade profissional e nas outras esferas da vida – família, lazer, ganhos materiais ou subjetivos etc. No primeiro caso, a paralisia, opta-se pela resignação e pelo medo do que virá adiante – e, em geral, põe-se a culpa no governo, no chefe imediato, no patrão, na crise econômica, na família, em qualquer coisa, menos em si mesmo. Como afirma o historiador Leandro Karnal, hoje um dos palestrantes mais requisitados do país, "meu medo não se baseia na função que encerra, mas da vida que continua".[1] Em outras palavras, a angústia surge menos em relação ao que deixa de existir e muito mais frente ao que virá.

Já o segundo caso – a ação – exige coragem, preparo e autoconhecimento para saber o que se deseja e aonde se quer chegar. E é para as pessoas que querem pertencer ao segundo caso que este livro se destina. Ou melhor, é para fazer que o leitor deseje e ingresse na espiral virtuosa da ação, dos começos e recomeços, da mudança sem medo. Ou, ainda, que passe a não ver o medo como o

---

1 "O desafio da mudança". Palestra de Leandro Karnal. Disponível em: <https://www.youtube.com/watch?v=RoOL4FrvXbg>. Acesso em: 14 fev. 2017.

diabo tinhoso, a porção maligna da qual queremos escapar, aquilo que não desejamos sequer ouvir falar. Repensar, recomeçar, reencarar a carreira e a vida profissional implica aprender a se conhecer e compreender sua vida.

Voltamos às perguntas: quantos de nós nos deparamos com momentos-chave de indefinição ou redefinição da carreira? Quantos de nós nos impacientamos, nos inquietamos e nos angustiamos com o chefe ou com a empresa em que trabalhamos? Quantos de nós imaginamos que só nos sentiremos livres quando nos dedicarmos ao próprio negócio, mas temos dúvidas se o momento é adequado para tamanha mudança? Quantos de nós preferimos ficar onde estamos, à espera que alguma certeza futura passe a iluminar o caminho e favorecer uma decisão? Quantos de nós passamos pela rotina de trabalho com a torcida (angustiante) para que chegue logo a sexta-feira?

Não há julgamentos, nem morais nem profissionais, nessas questões. Como cantou Caetano Veloso em "Dom de iludir", "cada um sabe a dor e a delícia de ser o que é". Podemos ser aquele profissional que não se importa com um emprego ruim ou repetitivo, por preferir buscar a felicidade e a realização na família e nos momentos de lazer, fazendo do trabalho um meio para outros benefícios. Ou podemos ser um executivo *workaholic*, realizado com o trabalho e a posição conquistada, ainda que à custa da distância da família e de poucas horas (ou nenhuma) de lazer.

O importante é saber aquilo que lhe dá prazer e atinge os seus propósitos. O essencial é não temer as próprias angústias e dúvidas. A dúvida é fundamental na vida de qualquer pessoa. É derivada da liberdade: só tenho dúvida quando tenho de escolher – em geral, entre algo bom e algo ruim, ou entre algo bom e algo não tão bom. A dúvida é lícita, válida, boa e necessária.

Neste livro você verá reflexões sobre o trabalho e o modo como o enxergamos na vida contemporânea: carreira; propósito, um conceito tão fundamental para qualquer existência, em nível pessoal e profissional; o sentido de realização na sua vida profissional e de como outras instâncias da vida, entre as quais família, lazer e cultura, interferem no trabalho e são interferidas por este. Afinal, trabalho (parte 1) tem a ver com você (parte 2) e com a noção de sucesso (parte 3) – que pode estar no dinheiro, no status ou na realização. De um modo ou de outro (ou de várias formas simultâneas), o que está em jogo é seu presente e seu futuro (parte 4).

Os próximos capítulos trarão reflexões sobre como repensar sua vida profissional – e sua relação com outras esferas da vida, que acreditamos que devem ser consideradas de uma maneira integrada. São conhecimentos e observações que adquirimos com muita leitura e também com bastante experiência prática. Nós temos não só uma larga experiência profissional: nos últimos anos, temos nos dedicado continuamente ao coaching, ajudando pessoas a identificar melhor seus problemas e potências, a radiografar seus próprios desejos e a iluminar novos caminhos a serem trilhados. E não raro temos visões diferentes sobre as questões que se apresentam. Este livro não é um guia para o leitor repensar sua carreira, mas sim uma fonte de *insights* para que ele possa, enfim, promover uma startup (palavra tão na moda) de si mesmo.

PARTE 1

O TRABALHO

REVENDO O CONCEITO DE CARREIRA

Na introdução, destacamos a era da realização como uma característica da sociedade contemporânea: o desejo de encontrar realização no trabalho, um emprego que proporcione um verdadeiro senso de propósito e reflita nossos valores, paixões e personalidade. Em síntese, o mundo moderno viu surgir com vigor a aspiração por um emprego que valha bem mais do que o contracheque. Como afirma Roman Krznaric – membro fundador da renomada The School of Life, de Londres – no livro *Como encontrar o trabalho da sua vida*, a era da realização fez surgir também duas novas aflições do local de trabalho moderno, ambas sem precedentes na história: a praga da insatisfação no trabalho e, ligada a isso, uma epidemia de incerteza sobre como escolher a carreira certa. Fazer isso, lembra o professor, não é apenas uma decisão que tomamos na adolescência ou com 20 e poucos anos de idade, é também um dilema que enfrentaremos repetidas vezes ao longo de nossa vida profissional.

Krznaric enfoca ainda um sentimento bastante comum à maioria das pessoas: o "sorria e aguente". Segundo essa visão, devemos controlar as expectativas e reconhecer que o trabalho, para a maioria da humanidade, é algo enfadonho, rotineiro e comum. E sempre será. Quem adota esse enfoque esquece – ou ignora – qualquer sonho de realização via trabalho. O escritor Mark Twain escreveu uma máxima apropriada a isso: "O trabalho é um mal necessário a ser evitado". A mensagem da escola "sorria e aguente" – ainda segundo o professor da School of Life – é de que "precisamos aceitar o inevitável e suportar o emprego que conseguimos encontrar, desde que ele atenda às nossas necessidades financeiras e nos deixe tempo suficiente para aproveitar a 'vida real' fora do horário do expediente". A ideia faria inveja a budistas ou filósofos da resignação, os chamados estoicos: nos protegemos contra a insistência em buscar a realização no trabalho por meio da aceitação, da resignação. Evitamos procurar uma carreira de fato significativa.

Chamamos de "carreira" a sequência de experiências profissionais que uma pessoa experimenta ao longo de sua vida. Mas houve um tempo em que a palavra tinha outro significado. O termo é derivado da palavra latina *carreria*, que significa "caminho para carros". No século XVI o termo "carreira" identificava o curso do sol através dos céus. Em disputas medievais, se referia aos cavalos que, durante o combate, passavam uma "carreira" em seu oponente. Somente no início do século XIX a palavra passou a se relacionar ao caminho na vida profissional. Como um de nós já pôde demonstrar em um trabalho acadêmico,[1] o termo é repleto de significados e possibilidades, com inúmeras abordagens no campo do trabalho ao longo do tempo. No trocadilho do norte-americano Everett Hughes, um dos precursores na definição do termo, a própria palavra "carreira" já tinha uma carreira. Pode significar avanço, no sentido da mobilidade

---

1 "Carreira sem fim – Reflexões sobre as possibilidades da atividade profissional com a longevidade". Artigo de Marcio Ogliara, julho/2016.

na hierarquia organizacional com sequência de promoções e movimentos para cima.

Os estudos contemporâneos sobre o tema começaram na década de 1930, com a definição clássica de Everett Hughes: a noção de carreira como a sequência de realizações e posições profissionais de uma pessoa. Ele também associou a compreensão dessas posições ao entendimento das instituições de uma sociedade: "O estudo de carreiras – a perspectiva móvel na qual as pessoas se orientam com referência à ordem social, e das típicas sequências e concatenações de trabalhos – pode revelar a natureza e a 'constituição do trabalho' de uma sociedade".[2]

A questão fica mais complexa: como construir essa sequência? Eis um grande desafio para todos nós, independentemente da classe social e do lugar onde se vive (e se trabalha). Afinal, todos encontramos um vasto mundo de possibilidades. Houve uma época em que os caminhos eram mais estreitos; e as opções, mais reduzidas. Quem não ouviu de pessoas mais velhas a ideia de que havia poucas carreiras a seguir: médico, engenheiro ou advogado? Eis que, de repente, esse leque se abriu em tantas possibilidades que as aflições se tornaram inevitáveis. Ganhou-se em liberdade de escolha, perdeu-se em angústia diante de tantas opções oferecidas. O mais grave: quase sempre as decisões iniciais são tomadas quando somos muito jovens, sem grande informação.

Daí a relevância do trabalho de um pesquisador chamado Douglas T. Hall, da Escola de Administração da Universidade de Boston, nos Estados Unidos. Coube a Hall revisitar e ampliar a ideia de carreira, fazendo emergir o conceito "carreira proteana". Com ele, o protagonismo do indivíduo ganha destaque: o sujeito é o condutor da própria carreira; é ele quem toma as decisões, e não a organização a que pertence. E o faz baseado em valores, como liberdade de escolha, segundo

---

2 Everett Hughes – Institutional office and the person - *American Journal of Sociology*, Vol. 43, N. 3 (nov., 1937), pp. 404-13.

suas necessidades e anseios, crescimento pessoal e profissional. Pode ser, portanto, reinventada de tempos em tempos. Algo que diz muito a respeito das mudanças vertiginosas em nossa forma de ver o trabalho – como dissemos, o fim do "emprego vitalício", substituído por uma infinidade de contratos de curto prazo.

"Carreira proteana" , no caso, está associada a Proteus, o deus grego da transformação. Segundo a mitologia – sempre ela –, Proteus possuía a habilidade de mudar de forma ao comando de sua vontade. Para Hall, o mito revela elementos que podem ser metaforicamente observados no profissional contemporâneo, que tem a habilidade de gerenciar a própria carreira. Os seus principais critérios de avaliação da carreira são subjetivos, ligando o sucesso à percepção psicológica do indivíduo, às suas aspirações e a outras dimensões para além da profissional. Em outras palavras, reduz-se o peso da dimensão objetiva (leia-se: cargos e salários), um contraponto à carreira tradicional, estruturada no tempo e no espaço. A carreira proteana reforça a percepção da existência de três espaços de expressão do indivíduo: o pessoal, o familiar e o profissional. Para cada um desses espaços, há várias subidentidades que desempenham diferentes papéis.

Uma das abordagens mais interessantes dessa linha "proteana" nos ensina: está em dúvida? Experimente. Não podemos saber exatamente o que desejamos, mas precisamos começar experimentando de algum modo. Pode-se viver uma sucessão de miniestágios, ou pequenos ciclos, de exploração-tentativa-domínio-saída, à medida que o trabalhador ingressa e depois muda de área, organização ou função. Essa forma de carreira envolve ainda o crescimento horizontal, para expandir competências e estabelecer novos relacionamentos – com funções e com outras pessoas, claro. Na carreira do século XXI, o novo contrato está apoiado nas características de sucesso psicológico (que podem – e devem – variar de pessoa para pessoa), como aprendizagem contínua, novas fontes de desenvolvimento e a possibilidade de administrar o próprio tempo.

Em livro lançado recentemente intitulado *Por que fazemos o que fazemos?*, o filósofo e educador Mario Sergio Cortella lembra que nós fazemos o trabalho, mas, em certo sentido, ele também nos faz. Isso acontece, escreve Cortella, na medida em que o trabalho ajuda a moldar as nossas habilidades e competências. Em síntese, as atividades que realizamos contribuem para formar a nossa identidade profissional. O autor toma o próprio exemplo para ilustrar: começou a dar aulas em 1974, construindo aos poucos sua identidade como professor (de filosofia e teologia). Nos anos seguintes começou também a dar palestras. Depois, entrou na área de comunicação, atuando em mídias variadas, tornando-se mais comunicador do que docente. Em outras palavras, uma parte de sua carreira foi planejada, outra foi circunstancial. Diz Cortella: "Claro que planejei minha carreira docente, na universidade, como auxiliar de ensino, mestre, assistente-mestre, doutor, assistente-doutor, adjunto, há uma sequência segundo a qual é possível se organizar, inclusive porque uma vida com tempos. Mas uma série de coisas foi circunstancial".[3]

Essa ocasionalidade de nossa vida constitui aquilo que o pensador renascentista Nicolau Maquiavel chamava de "fortuna" – que no latim significa "ocasião", "circunstância", isto é, uma dose de sorte. Para Maquiavel, o "príncipe", o homem que poderia comandar e conduzir as pessoas, era aquele que ligava a virtude à fortuna. É a velha fórmula da "pessoa certa, no lugar certo, na hora certa".

Essa combinação entre capacidade, planejamento e circunstância faz que, na definição de Cortella, o trabalho também nos molde. Em síntese, aquilo que eu faço é aquilo que me faz. Por isso, usa-se a palavra "realizar": é quando você se torna real, com desejos e intenções, mas constrói ali a sua identidade e aquilo que passará a ser.

---

3 *Por que fazemos o que fazemos?*: Aflições vitais sobre trabalho, carreira e realização. São Paulo: Planeta, 2016, p. 52.

Muitos outros exemplos podem ser citados. Um deles vem de Roberto,[4] um piloto de avião. Ele passou a carreira inteira com um foco: "Quero trabalhar na maior empresa aérea do Brasil". Era seu objetivo máximo e sua grande meta de crescimento na carreira. Seria o seu ápice. Até que a empresa decretou falência, justamente quando ele acabara de ingressar nela. Todo o sentido que ele pôs num objetivo para a sua carreira caiu por terra, e ele acabou entrando em uma grande crise existencial.

Até que Roberto refletiu muito e chegou a uma questão das mais relevantes para ele: "O que mais me alimenta? O que me realiza? Voar. Então, vou voar!". Em outras palavras, o piloto ressignificou o seu pensamento e passou a olhar aquele problema de uma outra perspectiva. Percebeu que sua realização estava em voar, e não necessariamente em voar naquela empresa. Trabalhou em outros locais, voou em uma das mais prestigiosas companhias aéreas internacionais, e retornou ao Brasil.

Esse piloto é a prova de que às vezes nos submetemos a um determinado sentido, ou mesmo a uma determinada relação de trabalho, e não percebemos as possibilidades de escolha, que muitas vezes são demarcadas por nosso planejamento, mas em outras pelas circunstâncias. No caso do nosso amigo piloto, ele conseguiu identificar qual o propósito de vida em sua carreira profissional e, a partir dele, pôde trabalhar em qualquer companhia aérea, diferente dos planos originais. Por quê? Porque o propósito dele era voar. Ele poderia ter seguido a rota dos fatalistas, que põe a culpa sempre naquilo que não controlamos – sorte, azar, como você queira chamar. Os fatalistas repetem a típica máxima: "Estava escrito", "tinha de ser assim", "não era a minha hora". O piloto fez o contrário: enfrentou a adversidade da circunstância e reelaborou seu propósito. Buscou reconstruir sua carreira e mirou o sucesso baseado em diversos fatores.

---

4   Todos os nomes das pessoas citadas como exemplo neste livro são fictícios.

E o sucesso, convém insistir, tem diferentes dimensões. Aqui voltamos a Douglas Hall e seu conceito de "carreira proteana". Há uma dimensão objetiva, mais aparente, e outra mais subjetiva. Se você ganha 500 mil reais por mês, tem um bônus anual de 50 milhões, comprou carro de alto luxo, possui jatinho e vai com a família para sua ilha em Angra dos Reis, tudo isso é claro e evidente de maneira objetiva como uma faceta do seu sucesso. Ter jantado com o então presidente dos Estados Unidos, Barack Obama, uma vez por mês seria também uma outra forma objetiva de verificar o peso e a qualidade do seu sucesso.

Mas Douglas Hall fez esta pergunta e a repetimos aqui: é a única dimensão para aferir o sucesso de sua carreira? A mais importante? Eis onde entra a segunda dimensão, uma perspectiva psicológica do sucesso. O que o indivíduo quer para a sua vida? – trata-se de uma pergunta fundamental para descobrir a dimensão subjetiva da carreira. Há fatores subjetivos – inclusive o já citado sentido de realização de vida – que interferem na garantia do sucesso. Mais uma vez, não há aqui julgamentos, nem morais, éticos ou profissionais, sobre as duas dimensões.

Por essas e outras razões é tão importante o autoconhecimento para a obtenção do sucesso em sua carreira: somente sabendo o que deseja e o que de fato valoriza é que você pode definir com mais clareza seus objetivos, correr atrás do sucesso e negociar fatores objetivos e subjetivos – que evidentemente podem coincidir-se.

2

A INVENÇÃO MODERNA: O TRABALHO COMO VALOR EM SI

Experimente ver, em qualquer grande cidade do Brasil e do mundo, do alto de um edifício, uma via engarrafada, repleta de pessoas a caminho do trabalho. Quantos milhões trabalham tresloucadamente em seu cotidiano? São milhões e milhões que têm sua vida girando em torno do trabalho, ao que se dedicam durante boa parte do tempo. Uns trabalham em escritórios sofisticados, com computadores de última geração. Outros vendem produtos na feira livre de bairros de classe média e alta. Alguns vão ao ateliê para criar obras artísticas. Mais alguns trabalham em laboratórios, buscando resolver problemas científicos complexos. Outros são devorados em turnos repetitivos em caixas registradoras, centrais de telemarketing ou linhas de montagem. Muitos entregam seus currículos em busca de um novo emprego com bons benefícios, ou um caminho seguro qualquer. Há ainda aqueles que trabalham alugando o próprio corpo.

Não importa: praticamente todos trabalham ou procuram um trabalho.

O pensador alemão Karl Marx sonhou um dia com a ideia de que chegaríamos a uma tecnologia tal que o homem dividiria o dia de modo que fosse possível trabalhar apenas quatro horas. As outras vinte horas seriam dedicadas ao lazer, à convivência com os filhos, a atividades prosaicas, como pescar. Poderíamos partilhar nossas riquezas a partir daí. Marx mirava no que chamava de alienação do trabalho. É um conceito que foi elaborado originalmente por outro alemão, Georg W. F. Hegel, para quem a alienação é tudo aquilo que produzo sem compreender a razão. Ou seja, sou apenas uma ferramenta para que as coisas ocorram, mas não decido nada sobre o destino das minhas ações. Um trabalho alienado é o avesso da ideia de busca por sentido, na crença de que precisamos nos reconhecer nas atividades que exercemos.

Em suas reflexões, Marx modificou um pouco o pensamento de Hegel. Enquanto este pensava na realização do indivíduo, aquele dizia: trabalhamos ou fazemos o que fazemos por necessidade. Para Hegel, eu faço o que faço porque preciso me ver para me reconhecer. Para Marx, eu faço o que faço porque preciso fazer, e aí sim me reconheço. Marx achava que o trabalho assalariado oferecia alguma esperança de mudança, bem melhor do que o período feudal. Cada trabalhador se tornara, como ele afirma em *O Capital*, "um livre vendedor de força de trabalho", que oferece sua mercadoria onde quer que encontre mercado. Mas ele também salientou que se tratava de uma liberdade ilusória, porque a maior parte das possibilidades em oferta era de trabalhos industriais, capazes de transformar as pessoas em escravos do sistema capitalista.

Marx não foi o único a imaginar um futuro diferente em relação ao trabalho e à acumulação de riquezas. O economista inglês John Maynard Keynes chegou a publicar um texto em que pergunta "quais são as possibilidades econômicas para os nossos netos?".[1]

---

1 O artigo foi publicado originalmente em 1930 na revista *The Nation and Atheneum* e republicado em 1931 no livro *Essays in Persuasion*. Uma versão do artigo está disponível em: <http://www.geocities.ws/luso_america/KeynesPO.pdf>. Acesso em: 09 mar. 2017.

Constatando a enorme inovação técnica e a incrível acumulação de bens no capitalismo ocidental, Keynes via o aumento do padrão médio de vida nos países civilizados (quadruplicado em apenas dois séculos). A continuidade desse avanço, antecipava Keynes, permitiria quadruplicar de novo o padrão de vida do cidadão comum no espaço de mais algumas décadas. Isso significaria derrotar o problema econômico em no máximo duas ou três gerações. "Quando a acumulação de riqueza já não for mais de alta importância social", escreveu Keynes em seu artigo intitulado "Possibilidades econômicas para os nossos netos", "haverá grandes mudanças no código de ética". Em outras palavras, o ser humano deixaria de lado seu "detestável amor pelo dinheiro" e, em seu lugar, corações e mentes se dedicariam a "problemas reais", como as relações humanas, conduta e religião.

Não é preciso ser marxista nem keynesiano para entender esses dilemas e constatar que sonhos assim se perderam com o tempo. Crises foram observadas na economia ao longo da história, e o ser humano jamais deixou de pensar na acumulação de riqueza, na competição e nos anseios materiais. Por necessidade, para nos reconhecermos ou para nos sentirmos realizados, o fato é que o trabalho ganhou crescente espaço na vida de cada um. Voltaire, o pensador iluminista, escreveu no século XVIII que o trabalho nos previne de três grandes males: do ócio, do vício e da necessidade.

A vida e o pensamento modernos ajudaram a dar a centralidade que o trabalho tem em nossa existência. Mais do que isso, colaboraram para reduzir o peso do trabalho como ideia de sacrifício e tédio (lembrem-se da frase citada do escritor Mark Twain: "O trabalho é um mal necessário a ser evitado"). Essa crença valia desde o trabalho forçado, usado para construir as pirâmides do Egito, e continua a valer para algumas das atividades em pleno século XXI. O trabalho pode ser digno, mas também pode ser sinônimo de fardo.

Está na própria raiz do nome. A palavra russa para trabalho, *robota*, vem do termo usado para escravo, *rab*. A expressão latina *labor* significa trabalho penoso ou duro. *Travail*, no francês, deriva de *tripalium*, um instrumento de tortura da Roma Antiga feito de três estacas de madeira. Nossa formação judaico-cristã associa o trabalho a um castigo, a uma punição pelos pecados do Jardim do Éden, quando Deus nos condenou a ganhar o pão de cada dia com o suor do nosso rosto. Durante muito tempo no Ocidente, o trabalho foi considerado uma atividade depreciável – era coisa para escravo ou para quem estava sendo punido, era algo indecente e imoral.

No mundo medieval, a escravidão foi substituída pela relação desigual entre servos e senhores – o que não ajudou muito a melhorar o apreço ocidental pelo trabalho. Só quando se deram as reformas protestantes de Lutero e Calvino, no século XVI, é que o trabalho ganhou algum status de atividade nobre, capaz de dignificar o homem. Pelo menos no mundo anglo-saxão e no norte da Europa (do lado de baixo da linha do Equador, a coisa foi mais tardia e complicada).

A boa notícia é que as condições de vida melhoraram, apesar de tudo. E mais: as possibilidades de escolha de carreira se expandiram com incrível velocidade, oferecendo ao indivíduo uma nova gama de opções – que podem não ser as ideais, mas também não se resumem à escravidão, ao trabalho alienado ou à amargura de catorze horas por dia em um chão de fábrica. O resultado é que, como já ressaltamos, esperamos muito mais dos nossos empregos do que as gerações anteriores.

Se o cenário mudou e as condições do trabalhador melhoraram, por que ainda é um desafio tão grande escolher uma carreira e encontrar um trabalho gratificante? O psicólogo norte-americano Barry Schwartz diz que é porque temos escolhas demais. Você pode ver o que ele pensa numa palestra do TED, disponível na internet.[2] Schwartz fala em "paradoxo da escolha", tema de seu livro mais importante, *O paradoxo da escolha – por que mais é menos*, ao tratar do que considera um dos dogmas centrais da sociedade ocidental: a liberdade de escolha. Segundo ele, o nó é que agora temos escolhas demais. A escolha nos tornou menos livres, mais paralisados e mais insatisfeitos em vez de mais felizes. E não sabemos lidar com isso.

---

2 Disponível em: <https://www.ted.com/talks/barry_schwartz_on_the_paradox_of_choice?langua ge=pt-br>. Acesso em: 09 mar. 2017.

Embora uma vida sem escolhas seja quase insuportável, afirma ele, podemos chegar a um ponto em que ter um leque vasto de opções disponíveis transforma-se num ônus pesado. Uma força libertadora e debilitadora ao mesmo tempo. E esse excesso de escolha não se dá somente no trabalho e na carreira. Observe no supermercado a variedade de produtos de qualquer espécie – biscoitos, pães, leite e até diferentes molhos para salada existem aos montes. Nos serviços, igualmente uma grande diversidade de opções, o que torna o processo de decisão mais penoso. Claro que escolher uma profissão é tarefa muito mais complexa do que a escolha de um produto, mas muitas vezes o resultado é similar: paralisia, indecisão e temor de decidir.

Tem solução? Claro que sim. Este livro é um esforço para inspirar e ajudar a enfrentar esses desafios apontados por Barry Schwartz. Aliás, ele dá seu palpite: aponta que uma das saídas para evitar parte da angústia é limitar as opções de escolha – algo bem mais difícil em relação aos caminhos profissionais.

Muitas vezes as limitações são impostas pelas circunstâncias ou pelas próprias deficiências do indivíduo, como pouca experiência para determinada vaga, ou ainda conhecimento técnico aquém das exigências. Outras vezes são as limitações econômicas do país, como uma crise capaz de reduzir o número de vagas disponíveis em sua área. Sem esquecer a sempre difícil compatibilização entre competência e o posto que ocupamos – não raro somos competentes, mas não exatamente naquilo que fazemos em determinado momento.

Tome-se o exemplo de Renato, um jovem na casa dos 32 anos, dotado de enorme habilidade comercial. Na empresa onde trabalhava, os colegas diziam: "Se tiver que vender, ele vende até a mãe". Um sucesso comercial que começou a crescer rapidamente na organização. Como era de esperar, Renato chamou a atenção no mercado e recebeu uma proposta profissional. Foi ao diretor de Recursos Humanos da empresa para contar do convite que recebeu. Trocaria São Paulo pelo Nordeste, ficaria longe da família durante a semana, mas receberia um aumento de 70% em relação ao que ganhava de salário e bônus. Queria um aumento para não sair. Ao responder-lhe, o diretor buscou mostrar, com a devida sinceridade, que aquela empresa tinha como característica resistir a conceder aumentos fora de hora. "Vai ser difícil reter você", admitiu o diretor. "Mas você pode crescer aqui dentro no médio prazo", reforçou, antes de fazer a pergunta-chave: "O que é importante para você? Dinheiro? Se quer dinheiro, vá, ninguém aqui vai conseguir lhe segurar".

Surpreendentemente, Renato disse que gostava da empresa e que dinheiro não era o mais importante. Ambos conversaram sobre carreira, e pesou na decisão de ficar o fato de querer construir algo sólido na empresa de que gostava, além de não apostar na incerteza de um novo emprego e de poder permanecer na cidade em que vivia com a mulher (era recém-casado) e o filho pequeno. No caso de Renato, a dúvida e a angústia geradas por um novo convite foram aplacadas pela limitação de opções: recorrer àquilo que considerava mais importante para a sua vida num dado momento facilitou-lhe o processo de escolha.

A relação entre o homem e o trabalho sempre foi vista como negativa e penosa. Com o tempo, como vimos, essa visão foi mudando, e hoje nos deparamos com um novo dilema: o trabalho associado à necessidade de realização pessoal. Nesse contexto, abrem-se novas e múltiplas possibilidades de escolha, juntamente com limitações. Com isso, uma pergunta: como encontrar a felicidade no trabalho?

3

O TRABALHO COMO FELICIDADE: TER DINHEIRO, CONQUISTAR STATUS E FAZER A DIFERENÇA?

Nos primeiros capítulos deste livro, com muita frequência falamos sobre alguns conflitos, paradoxos e dicotomias: trabalho × carreira, monotonia × realização, busca de sentido × escolhas. Apostamos na ideia de que precisamos evitar a sensação de estar *condenados* ao trabalho. Se pensarmos assim, se aderirmos à ideia do trabalho como um fardo em nossa vida, viveremos um trabalho desprovido de utilidade e de sentido. A infelicidade será inevitável.

É possível enxergar o trabalho como um meio de obtenção de diferentes dividendos. Você busca um trabalho para fazer a diferença para a sociedade (ou para si mesmo), para ganhar dinheiro, para ter status, para seguir sua paixão ou simplesmente para usar seus talentos. Como dissemos, objetivos distintos são igualmente legítimos — depende muito daquilo que cada um deseja para si, para sua carreira e para o que está à sua volta.

Entender exatamente quais são suas prioridades pode ajudá-lo a desenvolver uma visão pessoal – e eficaz – do que possa ser um trabalho significativo, com ganhos relevantes para você. Assim, você fará a escolha certa – ou a mais próxima do que considera melhor.

Dinheiro, em geral, lidera a bolsa de apostas nas escolhas profissionais. É o que move muita gente não só para aceitar um convite para um novo emprego, como também para ficar onde está, ainda que insatisfeito com outros fatores, como ambiente de trabalho, um chefe difícil, uma empresa pouco amigável com o funcionário ou mesmo uma atividade pouco criativa ou realizadora. Em muitos casos é difícil imaginar alguma mudança envolvendo uma redução significativa no salário, por exemplo, ou mesmo entrar em uma nova profissão com perspectivas financeiras limitadas.

Os benefícios financeiros são a motivação mais forte e também a mais antiga no mundo do trabalho. Há um vasto leque de frases de autores famosos que ilustram essa vocação natural do ser humano para a busca por dinheiro. O escritor britânico Oscar Wilde dizia: "Quando eu era jovem, pensava que o dinheiro era a coisa mais importante do mundo. Hoje, tenho certeza". E o brasileiro Millôr Fernandes: "O dinheiro não dá felicidade. Mas paga tudo o que ela gasta".

Brincadeiras à parte, é longa a tradição de pensamento que associa dinheiro à felicidade. No século XIX, o filósofo alemão Arthur Schopenhauer afirmou: "Com frequência, os homens são criticados pelo fato de o dinheiro ser o principal objeto de seus desejos e de ser preferido acima de tudo, mas isso é natural e até mesmo inevitável. (...) O dinheiro é a felicidade humana no mundo abstrato".[1] Para Schopenhauer, o dinheiro está sempre pronto a se transformar no objeto dos nossos desejos e necessidades.

Contudo, é bom ir devagar com o andor. Embora o desejo por dinheiro seja generalizado – e essa tendência não é exclusividade

---

1 Citado por Roman Krznaric em *Como encontrar o trabalho da sua vida*. Rio de Janeiro: Objetiva, 2012, p. 53.

do mundo contemporâneo –, inúmeras pesquisas ao longo dos anos mostram a ausência de uma relação clara, direta e positiva entre a renda e o aumento da sensação de felicidade e bem-estar. A renda costuma ser mais relevante em níveis mais baixos: a partir do momento em que ela é suficiente para cobrir as necessidades básicas de um indivíduo, novos aumentos de renda acrescentam pouco ao nível de satisfação. O que poderia gerar uma outra brincadeira: apesar de Nelson Rodrigues ter dito que o dinheiro compra até o amor verdadeiro, na verdade se pode concluir que dinheiro traz felicidade, sim, mas só até certo ponto.

É a síndrome do consumo: compramos um iPhone 6, mas logo chegará a versão 6s, depois a 7. Mais tarde, lançarão o iPhone 8, e vamos desejar trocar de aparelho – e o novo, evidentemente, custará mais caro. Passamos de uma TV de tela plana para uma LED, depois para uma 4K. Seguimos de um carro para dois. E assim, sucessivamente, o desejo vai migrando para um passo seguinte, numa espiral ininterrupta de expectativas. Tudo isso, porém, não significa defender que devemos abstrair a relevância do dinheiro sobre nossa vida. Difícil encontrar quem não tenha contas a pagar ou uma família para sustentar, por exemplo. O trabalho pode ser só um meio para pagar as contas e gastar com a família ou amigos. Se é assim, tudo gira em torno do dinheiro. Não há emoções envolvidas.

Nesse caso é bem possível a repetição exaustiva da frase máxima de muitas pessoas: "Graças a Deus, é sexta-feira". (Também adoramos a sexta-feira, o problema acontece quando se aguarda com tanta ansiedade que o profissional fica incapaz de aproveitar os outros dias da semana.) Mas também é possível construir boas carreiras sob essa perspectiva, ganhando mais dinheiro e tendo mais responsabilidade. A grande questão é o peso que atribuímos ao trabalho. Ou se atribuímos peso "só" a ele.

Além do dinheiro, buscamos também status. De um lado, desejamos prestígio, o que nos transforma em pessoas admiradas e reverenciadas – um trabalho e conquistas capazes de impressionar os outros. Queremos reputação e glória. De outro, desejamos poder – pode ser um posto numa organização ou uma atividade que nos coloque em posição, digamos, superior àqueles que nos cercam (ou pelo menos que nos sintamos assim).

Em geral, as pessoas se preocupam bastante com a posição relativa nas hierarquias das profissões. O poeta português Fernando Pessoa escreveu um poema – "O horror metafísico de Outrem!" – em que expressa "O pavor de uma consciência alheia/Como um deus a espreitar-me!". É uma síntese do pensamento humano: nos julgamos pelos olhos de outra pessoa. Desejamos reputação. Melhoramos a autoestima se nos sentimos superiores em posição relativa ao nosso círculo – de amigos, de trabalho, de família. E nos vemos definhando ou estagnados se estamos em posição de menor responsabilidade, enquanto amigos ao redor escalam postos superiores.

Atrelarmos nossas escolhas muito focados na obtenção de status resulta em risco similar ao vínculo com o dinheiro: talvez iremos sempre desejar algo mais. O status desejado pode estar sempre longe de nosso alcance. O filósofo francês Blaise Pascal escreveu no século XVII: "Desejo é falta".[2] Ou seja, desejamos sempre aquilo que não temos; quando o temos, já não desejamos. Dito de outro modo, provavelmente você já ouviu em algum lugar a citação de versos do brasileiro Vicente de Carvalho, de seu poema "Felicidade", segundo os quais a felicidade "está sempre apenas onde a pomos", mas "nunca a pomos onde nós estamos".

Mas é fato – e legítimo – querer experimentar uma certa dose de status social: sentir que somos respeitados por aquilo que fazemos e pela forma como fazemos – aquilo que o sociólogo do trabalho Richard Sennett define por "um ser humano completo cuja presença faz-se importante". Quem não deseja ser assim? As pesquisas mostram

---

2 Blaise Pascal – *Pensamentos*. São Paulo: Martins Fontes, 2001.

O TRABALHO COMO FELICIDADE: TER DINHEIRO, CONQUISTAR STATUS
E FAZER A DIFERENÇA?

que esse fator se revela um dos principais elementos de satisfação no trabalho. Não à toa muitos costumam rejeitar empresas e organizações pouco abertas ao reconhecimento do esforço individual. Desejamos uma boa posição, mas desejamos sobretudo o respeito de nossos colegas e de nossos chefes.

Queremos dinheiro, queremos status, mas também queremos fazer a diferença. Hoje, em especial, essa última intenção está muito presente nas gerações mais jovens. Nada de lidar com e-mails entediantes ou responder burocraticamente às missões que lhes são exigidas. Eles querem muito mais: colocar seus valores em prática, contribuir para mudar um estado de coisas, até mesmo realidades complexas, ou simplesmente fazer a diferença para determinado mercado – seja por meio de uma startup inovadora, seja por meio da inserção de um conhecimento criativo dentro de uma organização. É cada vez mais comum um profissional querer deixar a sua marca por onde passa.

Claro que nem sempre se pode ir ao extremo desse "fazer a diferença" – aquilo que o filósofo australiano radicado nos Estados Unidos Peter Singer chamou de "causa transcendente" como nossa maior esperança de alcançar a realização pessoal. Às vezes, muitas vezes até, o desejo de fazer a diferença traz ambições mais modestas – mas ainda assim bastante elevadas para os padrões médios do comportamento das pessoas no trabalho.

Se todos podem ser grandes porque todos podem servir, como profetizou o ativista norte-americano Martin Luther King, o complexo é o *como*. Mas você pode fazer a diferença como jornalista, publicando reportagens que denunciam uma realidade da qual precisamos escapar, ou como enfermeira num posto de saúde, capaz de ajudar a salvar vidas numa comunidade pobre. Nesses casos – para citar apenas dois exemplos –, a remuneração pode ser limitada, mas será imensa a sensação de que o seu trabalho está de fato fazendo a diferença, que o dia a dia de inúmeras pessoas está melhorando graças à sua contribuição. Não é pouco para o sentido de realização que muitos desejam.

E não significa pensar somente em trabalhos de impacto social como os dois acima. Você pode ser um pizzaiolo, e sua pizza ser tão qualificada, saborosa e especial, que é capaz de garantir aos seus clientes momentos de intensa felicidade e satisfação. Na prática, você estará garantindo algumas horas sublimes para quem experimenta o que você produz. Não é à toa que em latim as palavras "saber" e "sabor" tenham a mesma origem. *Sapore*, em latim, significa tanto uma coisa quanto a outra. Por isso, os portugueses, ao apreciar um prato, afirmam: "Isso me sabe bem".

Mas voltaremos ao tema em outros capítulos, quando tratarmos especificamente de "você" – qual o seu propósito? – e do "sucesso" – o que lhe motiva? O que lhe desmotiva? São questões-chave para cada um aplacar as aflições no trabalho e na carreira, bem como entender melhor a si mesmo e aquilo que o seduz.

4

SEU NOME É TRABALHO? FALANDO EM *WORKAHOLICS* E *WORKLOVERS*

Em 2008, o jornalista e escritor britânico Malcolm Gladwell publicou o livro *Fora de série – Outliers: Descubra por que algumas pessoas têm sucesso e outras não*. Com ele, correu pelo mundo a tese das "10 mil horas",[1] o provável período de prática demandado para chegar à condição de maestria de determinada atividade. A raiz da tese de Gladwell – ou a tese que ele tornou popular – remonta a um estudo de quarenta anos antes, feito pelo Nobel de economia Herbert Simon e pelo professor de psicologia William Chase. Ambos perceberam que os campeões de xadrez haviam passado entre 10 mil e 50 mil horas estudando o tabuleiro e inúmeras posições de peças antes de se tornarem grandes

---

1 Artigo "Dez mil horas? Jura!? – Um novo livro questiona a tese de que o treino excessivo pode levar ao desempenho de elite. Mas outros estudos dizem que esse tempo é só o começo da história." *Época Negócios*. Disponível em: <http://epocanegocios.globo.com/Inspiracao/Carreira/noticia/2013/12/dez-mil-horas-jura.html>. Acesso em: 09 mar. 2017.

mestres. A mesma tendência, descoberta em estudos posteriores, foi constatada em outras atividades, como a criação de sinfonias.

A equação das 10 mil horas acabou pronunciada pelo psicólogo sueco K. Anders Ericsson. Coube a Gladwell o acréscimo de outros exemplos, muitos curiosos, como o extenso treinamento dos Beatles em pequenos shows na Alemanha antes de atingir a maturidade criativa. Outros fatores podem estar envolvidos – a genética entre eles – mas, na prática, a tese das 10 mil horas exibiu um recado extremamente atraente: o caminho do sucesso está aberto a qualquer pessoa disposta a trilhar o árduo percurso do aprendizado. Em síntese: muito trabalho. Um prato cheio para os *workaholics* – a convicção de que o sucesso virá somente trabalhando MUITO.

E, de fato, verdade seja dita: a história das profissões e carreiras está repleta de profissionais *workaholics* muito bem-sucedidos. Em geral, são pessoas que focam apenas no trabalho e acabam deixando lacunas em sua vida no que diz respeito a família, lazer, vida conjugal, estudos e atividades de desenvolvimento pessoal. Não são necessariamente pessoas instáveis, mas certamente em algum momento podem enfrentar o desequilíbrio, já que os pesos estão somente em um dos lados da balança.

Formalmente, o conceito de *workaholic* trata de pessoas que trabalham muito e se tornam viciadas nisso. Ser viciado no trabalho não significa apenas passar muito tempo trabalhando. Normalmente essas pessoas são descritas como profissionais que dificilmente conseguem tirar férias ou usufruir de momentos de lazer, simplesmente porque não conseguem se desvincular de problemas e preocupações associados à sua atividade. São dependentes do trabalho. Muitas vezes são tensos, ansiosos e preocupados. Transferem tudo o que têm na vida para o trabalho e ali se afundam. Têm a cara das responsabilidades que assumiram. Eliminam as horas devidas de sono, passam pouco tempo com a família, reduzem o tempo e a intensidade dedicados às relações afetivas. Podem até viajar frequentemente com a família, mas sua rotina de descanso envolve olhar atento e constante para o smartphone – ou mesmo uma videoconferência com aqueles que ficaram no escritório.

Em contraposição aos *workaholics* há os *worklovers*. Estes têm características razoavelmente distintas daqueles. Primeiro, em geral são os próprios *worklovers* que se denominam *worklovers*. Segundo, são pessoas apaixonadas pelo seu trabalho, que expressam com frequência a sua satisfação (entre os *workaholics*, nem tanto). Passam muitas horas no trabalho e o fazem com rigor, mas não necessariamente são caracterizados como perfeccionistas sempre insatisfeitos – como são os *workaholics*, eternos incomodados com os resultados. Sentem-se realizadas porque acreditam no seu investimento profissional, que consideram importante para melhorar a vida de outras pessoas, por exemplo. Conseguem experimentar o prazer e a socialização – diferente do que habitualmente acontece com os *workaholics*. Divertem-se enquanto trabalham. Descansam e têm vínculos afetivos. Em contrapartida, apresentam dificuldade em avaliar de forma objetiva o sofrimento inerente ao seu esforço – esforço este que não existe sem abdicar, em muitos momentos, de outras esferas da vida.

Workaholics e *worklovers* são duas faces da mesma moeda e comportamentos típicos da centralidade que o trabalho adquiriu na vida moderna. Mergulhar em tarefas que lhe tiram o sono e desmarcar compromissos familiares para fazer hora extra são sinais quase inevitáveis dos tempos atuais.

Por que tantas pessoas trabalham tanto e tão intensamente, muitas vezes mesmo em empregos dos quais não gostam muito? Uma primeira interpretação sugere que elas acreditam que vale a pena pagar o preço de um cargo que oferece um pacote financeiro atraente. Outra visão sugere que elas são herdeiras da ética protestante do trabalho, pensamento oriundo da ideologia surgida na Europa do século XVII, segundo a qual trabalhar muito era bom e aproximaria o trabalhador de Deus. Uma terceira possibilidade interpretativa é que sucumbimos à epidemia do vício do trabalho – algo típico, como já vimos, do mundo contemporâneo.

No Japão, 10% das mortes de homens são relacionadas ao trabalho. *Karōshi* é a palavra que os japoneses dão para a morte pelo excesso de trabalho. Em *Como encontrar o trabalho da sua vida*, livro já citado aqui, o professor Roman Krznaric, da School of Life de Londres, lembra que aqueles que se viciam tendem a se deixar atrair inicialmente pelos benefícios de trabalhar duro, como a satisfação de ser um perfeccionista ou o mérito de ser o último a sair do escritório. No final, porém, a obsessão sai do controle. Em Londres, a colunista de trabalho e carreira do jornal *The Guardian* Madeleine Bunting citou em um de seus textos[2] uma pesquisa do Institute of Personnel and Development, segundo a qual mais de um milhão de trabalhadores britânicos se considera *workaholic* e faz horas extras voluntariamente. Um terço desses autodiagnosticados viciados trabalham por conta própria. "Um vício é uma relação patológica com um objeto ou evento, o que significa que pode acontecer em qualquer atividade", afirmou um especialista mencionado por Madeleine, o terapeuta Adrian Cole.

O vício no trabalho, em geral, se manifesta quando alguém dedica horas demais à sua atividade profissional. Mas não é só isso. Os especialistas costumam questionar: "Você faz duas ou três coisas ao mesmo tempo, como almoçar e escrever um e-mail?". Ou: "Gasta mais tempo e energia no seu trabalho do que nos relacionamentos com as pessoas que ama e com os amigos?". Responder positivamente pode significar que você está indo em direção ao vício. No fim das contas, todos somos potenciais viciados em trabalho. Perfeccionismo, necessidade (ou prazer) de estar no controle, baixa autoestima, preferência por trabalhar sozinho e não em equipe são algumas das características gerais de um *workaholic*.

---

2   Disponível em: <https://www.theguardian.com/money/2000/oct/01/workandcareers.madeleinebunting2>. Acesso em: 23 jan. 2017.

Viciados em trabalho ou simplesmente apaixonados pelo que fazem se aproximam de uma espécie de escravidão voluntária. Ou, às vezes, não tão voluntária assim. Em 2014, vazou na internet a transcrição de um depoimento de ex-gestores da Apple que contaram como eram cobrados pela empresa e que, apesar de estar ao lado de pessoas brilhantes, era muito difícil manter a exigência de trabalhar 24 horas por dia, sete dias por semana. O ex-diretor de tecnologia Don Melton e o ex-diretor de iOS Apps Nitin Ganatra afirmaram que o pior do trabalho eram os domingos à noite – "eram como um dia de trabalho qualquer". E-mails de executivos geralmente chegavam no início da madrugada, e os funcionários tinham de responder imediatamente. Uma vez ou outra, tudo bem. Mas depois de semanas, meses e anos, exigências do gênero levam ao extremo a capacidade física e mental de muitos. Rotinas assim fazem que o indivíduo não consiga se desligar do trabalho nem em férias.

Eis um dos equívocos frequentes nas empresas: confundir o número de horas no escritório com produtividade. Ser o primeiro a chegar e o último a sair, ficar permanentemente disponível graças à tecnologia, costuma ser um comportamento louvado. Mas pode ser improdutivo em muitos casos, como afirma Leslie Perlow, professora da Harvard Business School, no livro *Sleeping with Your Smartphone* (Dormindo com seu celular). Ela fez um experimento com executivos que trabalhavam 65 horas por semana, com outras vinte horas semanais monitorando seus smartphones. Reduziu a jornada do grupo pesquisado, e a produtividade aumentou. Com menos tempo disponível para o trabalho, as equipes tiveram de se coordenar de maneira mais eficiente. Sua conclusão: o comportamento *workaholic* mina, no longo prazo, a produtividade e a criatividade. Com o agravante da chegada dos smartphones anos atrás, que ampliou a noção distorcida de que devemos estar sempre disponíveis e acessíveis ao trabalho. Para essas pessoas, desligar-se por algum tempo pode causar crises de ansiedade.

Vamos dar o exemplo da Renata. Ela era executiva de uma empresa multinacional, mulher bem-sucedida, mãe de dois filhos e com um ritmo de trabalho acima da média. Num almoço de negócios, um dos autores estava relatando para ela que era comum nas sessões de coaching com mulheres entre 40 e 50 anos escutar queixas delas sobre o peso que suportavam quando se tratava de conciliar vida pessoal e profissional. Neste momento Renata interrompeu a conversa e falou que ela pensava totalmente diferente. Disse que era *worklover* e *workhalic* ao mesmo tempo, e que estava muito feliz assim. Bem, não precisamos ir muito longe para desmontar um dilema que é de senso comum: de que apenas podemos estar plenamente realizados se escolhermos investir em apenas um dos dois, por exemplo o trabalho ou a família. Renata havia optado pelos dois.

Neste capítulo tratamos de temas que muitos de nós já nos deparamos no dia a dia. Nossa ideia era propor uma reflexão a você, leitor. Não há certo ou errado nas decisões que possam nos trazer maior felicidade quando tentamos balancear as questões de nossa vida pessoal e profissional. Se conseguimos estimular você a se conhecer melhor para assim decidir qual caminho pode lhe fazer mais produtivo e, principalmente feliz, alcançamos nosso intuito.

5

O PECADO DO ÓCIO E A DIFÍCIL EQUAÇÃO DO TEMPO

O primeiro choque veio do filósofo britânico Bertrand Russell, num ensaio publicado no já longínquo ano de 1932. O título já dizia tudo: *O elogio ao ócio*. Russell chocou a todos ao afirmar que havia trabalho demais sendo feito no mundo e que um imenso dano é causado pela crença de que o trabalho é virtuoso. O filósofo não via nenhum bom motivo para que as pessoas suassem para produzir muitos produtos de consumo que pouco acrescentavam à qualidade de vida.

Como o economista John Maynard Keynes – que já citamos em capítulos anteriores –, Russell se convencera de que o crescimento econômico e os avanços tecnológicos haviam possibilitado que a maioria das pessoas dos países ricos desfrutasse de um padrão de vida decente trabalhando não mais do que quatro horas por dia. Isso mesmo, quatro horas por dia.

Em seu ensaio, transformado em livro depois, Bertrand Russell afirmava que devemos reconhecer as virtudes do lazer. E por "lazer" não falava em passatempos passivos, mas em atividades que poderiam expandir o potencial humano. E concluía que, agindo assim, "haverá felicidade e alegria de viver, em vez de nervos em frangalhos, cansaço e dispepsia".[1]

Russell tinha uma visão bastante dura sobre o trabalho. Ele falava que os trabalhadores haviam sido enganados: primeiro pela "necessidade de manter os pobres aplacados, o que levou os ricos a pregarem, durante milhares de anos, a dignidade do trabalho, enquanto tratavam de se manter indignos a respeito do mesmo assunto"; o segundo motivo seriam "os novos prazeres do maquinismo, que nos delicia com as espantosas transformações que podemos produzir na superfície da Terra".

Para o filósofo, nenhum desses motivos exerce um especial fascínio sobre o verdadeiro trabalhar: a melhor parte da vida de uma pessoa não estaria no trabalho, e ela nem enxergaria nele a principal fonte de sua felicidade; encará-lo-ia, na verdade, "como deve ser encarado", uma forma de ganhar a vida. Do lazer é que retiram "a felicidade que a vida lhes permite desfrutar".

Um dia de trabalho de quatro horas parecia – e é – ambicioso demais, mas o fato é que as teses ligadas ao ócio foram crescendo ao longo do tempo, quase no mesmo compasso em que gente de todo o mundo trabalhava mais e mais. Ainda assim, para muitos especialistas, o imperativo do sucesso por meio de performances e rendimentos mantém o ócio sob suspeita, considerando-o algo de desajuste, de anormal, mesmo que se celebrassem as promessas da tecnologia como a realização da fantasia de uma libertação do homem da escravidão, da servidão e da necessidade do trabalho ininterrupto.

É importante, no entanto, não confundir o ócio de que se fala aqui com a ausência de produtividade, com a transgressão equivocada, o desperdício puro e simples: o não fazer nada, a total ausência de

---

1 A versão original do ensaio de Bertrand Russell pode ser lida no site da revista *Harpers*. Disponível em: <http://harpers.org/archive/1932/10/in-praise-of-idleness/>. Acesso em: 09 mar. 2017. Em português, o livro *O elogio ao ócio* foi publicado pela editora Sextante.

finalidade e instrumentalização, a falta de foco, a ausência do cuidado de si mesmo. Mas é possível – e viável – conciliar trabalho produtivo e lazer, produtividade sem compulsão, bem-estar e sucesso social.

"Lazer não é ócio, como muita gente pensa. É uma forma trabalhosa de fazer algo que você gosta", disse certa vez o empresário Ricardo Semler. Líder do grupo Semco, Semler ficou famoso em 1988, ao publicar o livro Virando a própria mesa. Descrevia ali como fugiu do sistema de gestão de horários rígidos e organogramas definidos, transformando-se num mestre da delegação. Mesmo assim, lembrou Semler anos depois, ele só andava com dois celulares e vivia com a agenda lotada de reuniões.

A mudança completa apenas se concluiu em 2005. Após sofrer um acidente de carro, mudou-se para uma mansão em Campos do Jordão, interior de São Paulo, com a mulher e os quatro filhos. Passou a trabalhar não mais do que quatro horas por dia. No restante do tempo, mergulha em assuntos que lhe despertam interesse genuíno. Tal método chegou a lhe render novos negócios, como o hotel lançado em 2013 com a mulher. Mas rendeu sobretudo um jeito de levar a vida. Semler passou a estudar botânica, medicina e texturas de chocolate, se dedicar à música e jogar basquete.

Pode ser fácil para um empresário de sucesso que já havia acumulado muito dinheiro para poder restringir a dedicação ao trabalho, mas é muito mais difícil para quem está no início da estrada. Contudo, é interessante notar movimentos crescentes de resistência ao trabalho em excesso e de defesa de uma vida mais equilibrada. Tendências como a onda *slow* – nascida com a *slow food*, em 1986, em busca de uma compreensão sobre o tempo e o seu uso pela sociedade contemporânea. Ao questionar a pressa para tudo, o movimento *slow* colocou em dúvida as bases sobre as quais estamos assentados: as jornadas de trabalho continuam as mesmas de cinquenta anos atrás, o fast-food é um exemplo da pressa e da falta de autenticidade de muitas de nossas atividades, e o ócio é condenado.

Mas não só o *slow*, o ócio criativo se tornou uma dessas ideias disseminadas universalmente, graças à competência midiática e à força atraente das reflexões de seu principal porta-voz, o sociólogo italiano Domenico De Masi. Ele deu vida à expressão na segunda metade da década de 1990, com seu livro *O ócio criativo*, no qual demonstra como alegria e satisfação pessoal no dia a dia aumentam a criatividade – que, por sua vez, faz crescer o potencial de imaginação necessário a um melhor desempenho produtivo no trabalho. Diz ele: "Existe um ócio alienante, que nos faz sentir vazios e inúteis. Mas existe também um outro ócio, que nos faz sentir livres e que é necessário à produção de ideias, assim como as ideias são necessárias ao desenvolvimento da sociedade".[2]

Convém rebobinar mais uma vez a fita da história. De Masi lembrava em seu livro que, na fábrica industrial, o trabalho, especialmente o manual, absorvia todas as energias físicas do trabalhador, que era submetido ao controle severo dos chefes e separado radicalmente do tempo de lazer. Em sua autobiografia, *Minha vida e minha obra*, o maior industrial de todos os tempos, Henry Ford, escreveu: "Quando trabalhamos, devemos trabalhar. Quando nos divertimos, devemos nos divertir... quando o trabalho estiver concluído, então é chegada a hora da diversão. Mas não antes".[3]

Na sociedade pós-industrial, no entanto, segundo De Masi dois terços dos trabalhadores desenvolvem atividades intelectuais, quase sempre criativas. Em muitas dessas atividades, diz ele, a quantidade e a qualidade do produto não dependem do controle exercido sobre o trabalhador, mas sim da sua motivação e da possibilidade de desempenhar dentro de uma condição feliz – a condição que ele denominou de "ócio criativo".

---

2   Domenico De Masi. *O ócio criativo*. Rio de Janeiro: Sextante, 2000, p. 235.

3   Citado por Domenico De Masi em "Para aprender se divertindo. E vice-versa". *Época*. Disponível em: < http://revistaepoca.globo.com/Revista/Epoca/0,,EDR75542-6016,00.html>. Acesso em: 13 mar. 2017.

Nada de preguiça ou desinteresse. Hoje, ócio criativo significa trabalhar, divertir-se e aprender. Um estado de graça, como ele afirma, comum a várias atividades, que se alcança quando se misturam as dimensões fundamentais de nossa vida ativa – trabalho, que produz riqueza; estudo, que produz conhecimento; jogo, que produz bem-estar. Vale para um artista quando produz uma obra de arte, uma criança quando constrói um castelo de areia ou um empresário quando guia sua equipe em direção a uma meta inovadora. O pianista Arthur Rubinstein, polonês naturalizado norte-americano, um dos mais virtuosos do século XX, respondia assim para quem o aconselhava descansar: "Descansar? Descansar do quê? Eu, quando quero descansar, viajo e toco piano".

O problema é a culpa. Ou melhor, o sentimento de culpa. Aí convém recorrer novamente à história e à nossa formação cristã. A preguiça é considerada pela Igreja cristã um pecado capital. Aliás, originalmente este pecado era o da melancolia. Ao longo dos séculos foi se transformando em pecado da preguiça. Melancolia seria uma expressão. Com a ascensão do valor do trabalho, a preguiça passou a ser mais clara e específica: uma falta de vontade de fazer algo que deve ser feito, especialmente relacionado ao trabalho. Como afirma o historiador Leandro Karnal, no livro *Pecar e perdoar*, "o demônio da preguiça não nos diz: 'durma mais porque dormir é bom'. Ele insinua ao ouvido: 'você trabalhou tanto ontem que seria melhor dormir mais hoje, assim você será mais produtivo e mais criativo'".[4] O comportamento medieval da contemplação foi sendo cada vez mais criticado. Deus passou a ser associado ao trabalho, à ordem, à pontualidade e ao esforço pessoal permanente.

O sentimento de culpa com o ócio e a preguiça é tão grande entre nós que, por aqui, é comum achar que o Brasil tem feriados demais. Poucos sabem que há mais feriados nos Estados Unidos, na Suécia

---

4   Leandro Karnal. *Pecar e perdoar*. São Paulo: HarperCollins Brasil, 2015, p. 74.

e no Japão do que no Brasil. E sempre que há um feriado, haverá alguém para vaticinar: "É por isso que o país não avança". Como brinca o próprio Leandro Karnal: "O trabalho é um vício tão positivo e uma atividade tão boa que passou a ser considerado a única causa ética de suicídio no Ocidente: 'Estou me matando de tanto trabalhar'". Viramos uma sociedade que corre com o tempo.

Há alguns anos, o economista Eduardo Giannetti escreveu sobre o que alguns especialistas chamam de "paradoxo da aceleração do tempo" – uma contradição na nossa experiência objetiva e subjetiva do tempo. Objetivamente falando, os avanços são concretos: o progresso tecnológico, médico e econômico permitiram vitórias espetaculares diante do eterno desafio de ganhar e poupar tempo. Ocorre que, do ponto de vista subjetivo, o efeito dessas conquistas parece ser justamente o contrário do esperado. Fazemos as coisas que desejamos em cada vez menos tempo, mas sentimos cada vez mais a falta de tempo para fazer o que desejamos. A pressa inquieta, alucina. Temos uma vida de urgências mal resolvidas. Quanto mais economizamos tempo, mais tempo nos falta.

Nossa agenda é uma luta permanente, muitas vezes marcada pela utilização precária e desordenada do tempo. Corremos cada vez mais depressa rumo a lugar nenhum. Não à toa, muitos acreditam que é o tempo a grande escassez do mundo contemporâneo. Neste capítulo e nos anteriores, nos referimos várias vezes ao equilíbrio entre diversas dimensões da vida. A questão é, ao ocupar uma parte significativa do nosso tempo, o trabalho acaba se relacionando também com outras dimensões de nossa existência. Trata-se de uma equação simples, mas de resultados complexos: a quantidade de horas que você passa absorvido nas atividades profissionais pode colidir com o tempo que gostaria de dedicar à convivência com a família, por exemplo.

Mas somos seres pluridimensionais e, por essa razão, agimos em várias frentes. Dedicar tempo exclusivo ao lazer e à família significaria não ter as condições financeiras capazes de garantir uma estrutura mínima para... a família! Por isso, dedica-se tempo e esforço ao trabalho, restringindo o tempo de convivência com a família. Isso para ficar num exemplo apenas. É um dilema inevitável na vida de qualquer um. A noção de equilíbrio entre as várias dimensões passa não só pelas circunstâncias que facilitam – ou dificultam – nossas escolhas, mas passa também por nossas necessidades e, sobretudo, pelo propósito que carregamos.

Os caminhos que tomamos são fruto de nossas escolhas. Como lembra Mario Sergio Cortella, "prioridade" é uma palavra sem plural. Se você põe um "s", deixa de ser prioridade. Mas os caminhos são dinâmicos e vastos. É preciso, portanto, pensar em quais são suas metas e qual a sua prioridade e escaloná-las. É nessa hora que a noção de propósito é bastante forte. Afinal, cada escolha implica ônus e bônus. Tem seus benefícios, mas também seus custos. Por essa razão, nos parece fundamental desenvolver uma capacidade de refletir a respeito de nossas escolhas e de nossos propósitos. Eis um tema para nos dedicarmos nos próximos capítulos.

PARTE 2

VOCÊ

6

ENCONTRANDO UM PROPÓSITO

"Se um homem não sabe a que porto se dirige", escreveu Sêneca, "nenhum vento lhe será favorável".[1] O filósofo romano, que viveu no início da Era Cristã, falava de algo que move o ser humano desde sempre: o desejo de encontrar seu lugar, sua razão de ser, ou a tentativa, muitas vezes necessária, de se reinventar, conforme a dança da vida. Ter – e, acima de tudo, identificar – um propósito de vida, saber a que porto você pretende se dirigir, significa descobrir melhor o caminho a ser trilhado e fazer as escolhas mais adequadas para você e sua vida.

Ao longo da primeira parte deste livro demos exemplos e discutimos a natureza múltipla de nossa existência. Trabalho, lazer, vida pessoal e profissional, dinheiro, status, família, relações amorosas, busca de sentido ou de um significado para o que fazemos, tudo isso se insere nas diversas dimensões da vida de cada um, e se amalgamam ou se distanciam conforme nossas escolhas, nossas preocupações, nossos

---

1 Citado em *Época Negócios*: "Frases inspiradoras – citações inspiradoras e polêmicas de personalidades, pensadores e empresários". Disponível em: <http://epocanegocios.globo.com/Inspiracao/Vida/noticia/2012/02/frases.html>. Acesso em: 13 mar. 2017.

objetivos, nossas competências e nossos erros – e também conforme as circunstâncias que vão surgindo, seja em forma de sorte, virtudes ou infortúnios. Como já afirmamos aqui, os caminhos tomados são fruto de nossas escolhas. Definir prioridade, estabelecer metas, saber o que desejamos, refletir e reconhecer qual a nossa identidade pessoal e profissional (aquilo que nos faz ser o que somos), todas essas tarefas resultam de um elemento central: o propósito.

Qual o propósito que coloco diante de mim? A palavra, derivada do latim, significa "aquilo que eu coloco adiante". Em suma, é aquilo que buscamos. Uma vida com propósito é aquela em que eu entenda as razões pelas quais faço o que faço e claramente deixe de fazer o que não tenha sentido para mim. Como afirma o filósofo Clóvis de Barros Filho, coautor do livro *A vida que vale a pena ser vivida*, se existe alguma chance de a vida ser boa de ser vivida é quando ela resulta de suas livres escolhas – para o bem e para o mal. E o seu contrário (viver mal) é não entender o seu papel no Universo. A vida começa a valer a pena de verdade quando descobrimos o lugar que nascemos para ocupar – e este lugar, é bom lembrar, pode mudar ao longo do tempo.

Numa de suas concorridas palestras, Barros Filho usou a própria história para exemplificar a natureza do propósito em nossa vida. "Quando era criança despertava nos meus pais uma grande preocupação", conta ele, num dos muitos vídeos que se tornaram sucesso na internet.[2] Não que fosse mal na escola. Ao contrário, sua performance escolar era impecável. Mas ele não vibrava com nada. Tirar nota dez no Colégio São Luís, uma tradicional escola particular jesuíta de São Paulo, tornara-se uma rotina entediante. Seu pai tentava de tudo: levar o filho ao estádio para ver uma partida de futebol, matriculá-lo numa escola de artes, praticar esportes. Nada. Um dia, a professora chamou seu pai e definiu quatro tipos de alunos: "O primeiro grupo é formado por alunos muito talentosos, que adoram esta escola.

---

2   Disponível em: <https://www.youtube.com/watch?v=HsQx02JdZ2Q>. Acesso em: 14 fev. 2017.

No segundo grupo, alunos não tão talentosos, mas que igualmente adoram esta escola. O terceiro grupo tem alunos que não gostam tanto, mas enquanto estão na escola eles se divertem. E temos o seu filho. Ele não é daqui". Apesar das tentativas dos pais, Clóvis de Barros Filho se arrastava "numa inércia irritante", segundo sua própria definição. Os pais preferiam que o filho demonstrasse mais vibração com o que fazia do que vê-lo tirar boas notas.

Até que um dia, na oitava série, o professor de geografia distribuiu temas de seminários para os alunos. Clóvis foi escalado para tratar de petróleo. Preparou-se devidamente, embora com o modo entediado que lhe era peculiar naquela fase de sua vida escolar. No dia agendado, subiu ao pequeno palco da sala de aula, repleta de gente (alunos de outras turmas foram ver aquele menino esquisito que já tinha fama de louco). "Pela primeira vez foi legal eu estar onde estava. Era grande minha excitação", diz ele. "A vida se dividiu em dois: antes e depois do seminário. Aquele era o meu lugar, e eu dizia para mim mesmo: 'Não quero que acabe nunca mais'". Falou durante cinquenta minutos, mas ficaria ali cinquenta horas. De volta à casa, encontrou o pai e contou-lhe o que ocorrera – frenética e euforicamente. E o pai finalmente sorriu, também eufórico com a descoberta do filho. Afinal, o que queria dele estava ali: vibração com a vida. "A vibração com a vida, só conseguimos no lugar certo, respeitando nossos talentos", concluiu o hoje professor, autor de livros e palestrante de sucesso.

Uma vida pequena é justamente aquela que nega a vibração da própria existência. Uma vida banal é aquela em que se vive de maneira automática, feito um robô, sem uma reflexão sobre o fato de existirmos e sem consciência das razões pelas quais fazemos o que fazemos. Repita-se a máxima: a vida começa a valer a pena de verdade quando descobrimos o exato lugar que nascemos para ocupar. Outro filósofo, o alemão Nietzsche, escreveu no século XIX, no livro *Assim falou Zaratustra*: "Leve o tempo que for para perceber o seu lugar, mas depois que você descobrir não recue ante nenhum pretexto". Do mesmo autor, outra frase lapidar sobre esta ideia: "Quem tem um porquê de viver, supera o como vier".[3] Em outras palavras, as razões precisam vir antes das ações.

É impossível descolar o propósito de vida do trabalho. São interconectados. O trabalho que você exerce ou exercerá, a carreira que você segue ou seguirá – com mudanças contínuas ou não – é uma extensão dessa convicção. Diante das tantas possibilidades e incertezas com as quais nos deparamos, o propósito precisa ter a ver com aquilo que temos de melhor – nossas competências naturais e aquilo que nos encanta fazer. Disso não podemos abrir mão.

Vimos nos capítulos anteriores que a busca por sentido e realização foi uma invenção da sociedade moderna. Muitos hoje desejam encontrar no emprego algo que ultrapasse o ganho salarial, sobretudo as novas gerações. Uma busca por sentido, por ser reconhecido e por fazer a diferença. Mas nem sempre foi assim, pois o propósito original do trabalho era simplesmente sobreviver. Hoje, no entanto, a realidade é bem diferente.

Temos nossos valores e, por trás dessas certezas, aparecem inúmeras incertezas no meio do caminho. O profissional deve debater sobre os valores que quer (ou não) no seu trabalho e na sua carreira. Essa é a condição da liberdade. Se ele se submeter a verdades impostas, abre mão de poder dizer o que pensa, o que quer e o que faz. Assim é mais fácil encontrar o propósito no trabalho.

Uma imagem se tornou clássica para ajudar a entender as diferentes dimensões da vida e a refletir sobre o peso de cada uma. Veja abaixo:

---

3   Ambos os trechos são citados por Clóvis de Barros Filho e Arthur Meucci em *A vida que vale a pena ser vivida*. Rio de Janeiro: Vozes, 2010. Páginas 194 e 204, respectivamente.

Fonte: http://www.multivariablesolutions.com/strategy/purpose-why-it-matters-and-who-it-matters-to/

Se uma vida com propósito é mesmo aquela em que eu entenda as razões pelas quais faço o que faço, essa imagem pode ajudar a iluminar a reflexão. Afinal, responder à pergunta "qual o seu propósito" não é tarefa fácil. A imagem leva a cinco questões:

O que você ama fazer? Isso vale tanto para a sua vida profissional quanto para o âmbito pessoal.

O que você faria se o dinheiro não fosse importante para você?

O que você faz bem? Certamente, *há coisas nas quais você é bom.* Todos possuem um talento, aquilo pelo qual os outros lhe atribuem valor. Novamente, valem aspectos pessoais e profissionais.

Em que você pode ser remunerado? Aqui vale ser mais realista do que nunca. Dinheiro pode não ser tudo, mas é importante para viver e responde por nossas necessidades mais elementares e pelos nossos desejos – dos mais simples aos mais elevados e complexos. Portanto, pense no que lhe pagam para você fazer.

Do que o mundo precisa? Essa pergunta pode ter diferentes significados. É deixar a mente viajar para respondê-la.

Nas intersecções entre os círculos estão a paixão, a missão, a profissão e a vocação. Sua paixão é o que você ama fazer e no que realmente é bom. Sua missão é o que você ama fazer e pode contribuir para um mundo melhor. Sua vocação pode ser o resultado do que o mundo precisa e de como você pode ser remunerado para tal. E sua profissão pode ser uma mistura de remuneração sobre o que você faz bem.

O ponto-chave está na intersecção desses quatro elementos – paixão, missão, vocação e profissão. O propósito está no meio do que você gosta, daquilo que faz sentido para a humanidade, daquilo que paga as suas contas e do motivo pelo qual você escolheu sua profissão. É um exercício de união entre diferentes fatores que podem ajudá-lo a tomar decisões melhores em vez de reclamar eternamente da vida, do chefe, do colega, do ambiente de trabalho e do salário. Isso permite que você se mobilize para aquilo que realmente lhe importa e lhe parece bom para a vida – no trabalho e além dele.

Pessoas que sabem o que querem e o que é importante para sua vida e que entendem por que estão onde estão e o que desejam fazer com todo o seu potencial, em geral, exibem melhores condições de compreender e aproveitar as oportunidades que surgem. Entender o significado de metas de vida e de trabalho, em particular, torna mais viável a nossa capacidade de construir ou identificar nossa visão de futuro. Consequentemente, torna mais eficaz o cumprimento dessas mesmas metas.

A falta de visão e de metas mensuráveis e palpáveis – e mesmo os sonhos que parecem utópicos – atrapalha o progresso no trabalho. Devemos estar abertos ao mundo e às oportunidades, mas não há vento favorável para quem não sabe para onde quer ir. Falando em metas, elas envolvem dois cuidados especiais: o primeiro é defini-las; o segundo é tentar conquistá-las. No primeiro caso, é preciso o equilíbrio entre realidade e desafio, sonho e possibilidade, prazer e dever. Como afirma o economista Eduardo Giannetti, no livro *O valor do amanhã*, "se o sonho desprovido de lógica é frívolo, a lógica desprovida de sonho é deserta".[4] Gaste tempo, faça muitas versões, divida com seu cônjuge e com as pessoas em quem confia. Depois vem o passo seguinte: conquistar as metas definidas. É necessária uma dose significativa de esforço, disciplina e até mesmo uma certa resignação – escolhas significam dedicação, e talvez seja necessário sacrificar outras atividades. Como já dissemos, toda escolha implica ganhos e perdas, bônus e ônus.

Encontrar seu propósito também significa a possibilidade de, enxergando-o, descobrir se ele se vincula ao propósito da organização em que você trabalha. O publicitário norte-americano Joy Reiman, classificado pela revista *Fast Company* uma das cem pessoas que mudarão o modo como o mundo pensa, publicou em 2013 um livro bastante conhecido na área, intitulado *Propósito*. Nele, Reiman afirma que o propósito não apenas gera valor a um negócio, mas fundamentalmente atribui maior valor à vida das pessoas. Quando uma empresa comunica claramente o seu "porquê", essa revelação permite articular a razão de ser de uma organização com aquilo de que o mundo precisa. Na linguagem das organizações, a clareza de propósito gera engajamento – dos funcionários, parceiros e clientes.

Como Reiman afirma, uma empresa com propósito não pensa apenas em seus clientes, mas também em seus funcionários, colaboradores e na sociedade como um todo. O propósito ajuda a direcionar a organização: a busca de funcionários mais satisfeitos (subjetivamente e também financeiramente), uma base mais saudável e acionistas mais ricos. Em síntese, quando você trabalha numa empresa que tem algo

---

4   Eduardo Giannetti. *O valor do amanhã*. São Paulo: Companhia das Letras, 2005, p. 277.

maior — um propósito — você se sente inspirado. Segundo Reiman, grande parte das pessoas tem empregos pequenos para seus espíritos. Ter um propósito, diz ele, libera o melhor de cada um de nós.

A Apple é, talvez, um dos exemplos mais bem-sucedidos. Steve Jobs dizia que sua empresa não vende computadores, e sim design, inovação e criatividade. Isso fez — e faz — que os consumidores de todo o mundo venham até a Apple e seus produtos. Mesmo quando a empresa passou anos sem ter uma loja oficial no Brasil, existiam milhares de iPads, iPhones e Macbooks país afora. Há ainda o caso da Alpargatas e a internacionalização das suas sandálias Havaianas. A marca vai muito além dos chinelos: ela vende uma ideia, a alegria de viver do povo brasileiro, e hoje é um sucesso de vendas em todo o mundo.

Existem autores que enxergam o propósito como autoestático, único para toda a vida. Nós pensamos diferente. O propósito pode mudar, afinal estamos mudando e nos reinventando o tempo inteiro. Viver não significa necessariamente adotar um caminho único e determinado, mas aceitar as mudanças, a contingência, a necessidade de criar e de recriar — isso vale tanto para a nossa vida cotidiana quanto para nossos valores, nossa moral e nossa carreira. Um propósito também pode ter vários caminhos — o que torna mais complexo ainda identificar e escolher a trajetória certa para você.

Um equívoco comum em relação à ideia de propósito é pensar que se vislumbra aí alguma missão grandiosa. Nem todos vêm ao mundo com um propósito de transformá-lo ou revolucioná-lo. Poucos, na verdade, têm para si uma missão grandiosa. Mas ter um propósito ou conseguir identificá-lo, com todas as mudanças inerentes à passagem do tempo, pode fazer a diferença entre a felicidade e uma vida infeliz no trabalho, entre uma vida bem-sucedida e uma carreira resignada, entre a convicção de sucesso e a sensação de fracasso, entre aproveitar as oportunidades que a vida pode lhe oferecer e a percepção angustiante de que a existência foi desperdiçada.

Não é por outra razão que se diz que o propósito está em nós. Afinal, a motivação tem a ver com fatores aparentemente externos — como dinheiro, status e busca por sentido —, mas é impossível negar: trabalhar para conseguir salários maiores, conquistar posições e status superiores, ir atrás de um significado para o que fazemos implica entender aquilo que essencialmente nos motiva. Patrícia, amiga de um de nós, os autores, disse certa vez: "Decidi receber metade do que eu ganho ou do que poderia ganhar". Ela anunciava ali o abandono do alto posto que ocupava numa empresa. Com autonomia, resolveu baixar a própria posição para ter mais tempo fora do trabalho. A razão? Para ela, ganhar menos, mas trabalhando menos, tornou sua vida mais leve. "Para mim, a vida mais leve tem um valor muito maior do que se eu tivesse com o status anterior, naquela posição em que estava".

Fazer uma escolha assim carrega um alto grau de subjetividade, tão grande que nenhum coach pode identificar — cabe apenas ao profissional. É ele, e somente ele, o mais capaz de identificar aquilo que realmente conta para a sua vida em todos os níveis: liberdade, segurança, dinheiro, status, mais trabalho, menos trabalho, mais tempo para a família, tempo livre para o ócio criativo e muitos outros fatores... Não há fórmulas, muito menos caminhos traçados na origem.

Eis por que precisamos, antes de tudo, nos conhecermos e conhecer o que queremos. Autoconhecimento é o tema que iremos discorrer no próximo capítulo.

AUTOCONHECIMENTO, O (RE)COMEÇO

Encontrar um propósito e persegui-lo, como vimos, ajuda a balizar as escolhas na vida – na esfera pessoal e na sua carreira profissional. Mas exige o autoconhecimento, um exercício prévio de entendimento sobre si mesmo. Em outras palavras: a busca por um trabalho bem-sucedido – ou por uma vida mais feliz no trabalho, ou ainda um trabalho que lhe permita atingir seu(s) propósito(s) de vida – começa na ação, mas é resolvida pela reflexão. Quando uma pessoa conhece suas características e comportamentos, consegue buscar uma atividade alinhada ao objeto que vislumbra.

Há um aforismo grego lapidar sobre autoconhecimento: "Conhece-te a ti mesmo". São muitas as origens e acepções para explicar a expressão, mas a mais citada remete à inscrição que se via na porta de entrada do Oráculo de Delfos, na antiga Grécia. Neste local, dedicado a Apolo (na mitologia grega, o deus da luz e do sol, da verdade e da profecia), buscava-se o conhecimento do presente e do futuro por meio de sacerdotisas.

A frase – em sua versão completa, "Conhece-te a ti mesmo e conhecerás os deuses e o Universo" – passou a ser atribuída ao filósofo grego Sócrates. Segundo ele, nenhum indivíduo era capaz de praticar o mal consciente e propositadamente, mas o mal era resultado da ignorância e da falta de autoconhecimento. Na filosofia socrática, o "conhece-te a ti mesmo" tornou-se uma espécie de referência na busca do autoconhecimento – e também do conhecimento do mundo, da verdade. Para o filósofo grego, conhecer-se é o ponto de partida para uma vida equilibrada e, por consequência, mais autêntica e feliz. Ou seja, o primeiro passo para o verdadeiro conhecimento é nos conhecermos a nós mesmos. Trata-se de um processo sem fim, contínuo, que muda a forma como uma pessoa interage com o mundo e com as outras pessoas, abrindo a possibilidade para sempre conhecer e aprender coisas novas.

No mundo do trabalho ou fora dele isso significa constatar que é impossível forçar você a fazer algo que não quer e ainda esperar que você seja feliz. Por isso, é tão fundamental a pergunta: "O que eu realmente desejo?". Dela, derivam outras: "Quais são os meus limites?", "quem sou eu?", "o que eu realmente quero?". Em síntese, é preciso saber quem é você e quais são seus limites. Trata-se de uma chave pessoal e profissional que diz muito sobre a ideia de felicidade na vida e no trabalho. Freud, o importante psicanalista, morreu em 1939 fazendo esta pergunta: por que as pessoas buscam a infelicidade? E por que, quando a infelicidade chega, elas se surpreendem?

Das perguntas acima, derivam outras complicações, afinal, como já vimos em capítulos anteriores, toda escolha e toda decisão implicam ganhos e perdas. E mais: o caminho escolhido para a realização do nosso desejo pode não coincidir com a vontade do mundo para nós. Diante disso, devemos preservar nossos valores e princípios ou aderir ao que o mundo impõe para nós?

Aqui, temos um processo similar ao que destacamos na busca da identificação do propósito. Algumas perguntas são fundamentais no processo de autoconhecimento: "Como o mundo funciona e como viver melhor nele?", "o que eu tenho de melhor?", "o que me faz feliz?", "estou maximizando meus talentos e trabalhando meus pontos fracos?", "qual a minha essência e onde me sinto melhor?", "estou no caminho efetivamente certo?", "tenho clareza das lacunas existentes em relação ao meu trabalho e à minha carreira?", "aonde quero chegar?", "o que penso quando reflito sobre o futuro?".

Buscar e encontrar as respostas para tais perguntas significa o passo necessário para conhecer a si mesmo e, com isso, identificar melhor os caminhos a seguir. Felicidade, sabemos, não é algo contínuo, e sim episódico. É a capacidade de ser inundado por uma alegria imensa por aquele instante. Pode-se sentir a vida vibrando com um abraço, diante da realização de uma obra ou na sensação de euforia e satisfação com o que se faz no trabalho. Vale a máxima: a vida que eu levo é a vida escrita por mim, não pelo destino, pela sorte. Vamos aprofundar esse tema mais adiante, mas a síntese é: você pode – e deve – ser o protagonista da sua vida. Ninguém mais. Ou: o roteiro de sua vida pode – e deve – ter um único autor, um único roteirista: você.

Frank Underwood, o amoral protagonista da série *House of Cards*, foi usado em muitas análises não só para comparar seu jeito de fazer política com o modo de agir dos políticos brasileiros, mas também a sua correlação com o mundo dos negócios. Ao dissecar seus métodos, viu-se que uma de suas competências fundamentais para enfrentar o mundo do trabalho é o autoconhecimento. Mesmo egocêntrico, Frank sabe reconhecer suas fraquezas ou áreas nas quais não possui habilidade suficiente para a performance desejada. É um trunfo espetacular. Entender sua natureza significa não perder tempo, muito menos energia, com tarefas que, sabidamente, não irá cumprir à perfeição – ou próximo disso. Contra a fraqueza, a melhor saída é a franqueza: quem exercita o autoconhecimento tem muito mais chance de obter sucesso na vida profissional e tomar as decisões certas para a sua carreira.

Temos nosso próprio exemplo. Um dos autores deste livro foi, desde cedo, intensamente crítico em relação às organizações, à forma como elas trabalham e agem com seus funcionários, à maneira como as instituições estão estruturadas, organizadas e hierarquizadas. Num mercado altamente competitivo, seu foco era colaborativo. Observando as estruturas hierárquicas e seus modelos de *statu quo*, analisava o que contava para o sucesso e para o insucesso – e não gostava do que via. A atitude cooperativa que tanto apreciava parecia longe das preferências das organizações para permitir o progresso de alguém numa empresa. Era um tempo de instituições e empresas com hierarquias poderosas – em geral, estruturas previsíveis e estáveis. Ele se via encaixado mais num mercado em que pudesse trabalhar em rede, com a possibilidade de se dedicar a várias coisas simultaneamente, em vez de ser exclusivo de alguma empresa. Ou ainda dentro de uma organização em que a interdependência e a atuação sinérgica entre as equipes falassem mais alto do que a hierarquia sólida, tradicional e vertical.

Hoje parece fácil pensar e falar assim, quando as fronteiras comunicacionais e geográficas deixaram de ter a importância que tinham décadas atrás e se passou a valorizar conceitos e práticas como "rede", "parceria" e "networking" – vocábulos que remetem à realidade atual de interdependência. Mas há vinte anos seriam imensas as dificuldades para prosperar no mercado. Quando começou seu trabalhou de coaching, ele também percebeu que aquelas suas angústias se multiplicavam em questionamentos de profissionais de diferentes áreas.

A saída? Adaptar-se ao modelo existente, esperar mudanças com o tempo, mas sobretudo fazer um profundo exercício de introspeção para entender-se melhor e compreender o que estava ao seu redor. Pensou: preciso ser competitivo neste mercado, sobreviver a ele e achar minha forma de atuação nele – e não necessariamente compactuar com ele.

Importante lembrar que somos treinados a olhar para fora, e não a lidar com os conflitos e questionamentos internos – algo que Freud tentou resolver ao discutir as diferentes partes do nosso aparelho psíquico: o inconsciente, o pré-consciente e o consciente, mas essa é uma outra história. Com isso, também temos dificuldade de compartilhar nossos questionamentos, refletir com alguém problemas e soluções possíveis, seja no trabalho ou na vida pessoal. Um coach ou um amigo, muitas vezes a provocação externa, as perguntas que lhe são feitas e a reflexão conjunta ajudam a ampliar o conhecimento que você tem de si mesmo e do que você quer. Essas práticas aumentam também as possibilidades e os *insights* tão necessários para as escolhas presentes e futuras.

Nem todos são assim ou apreciam esse modelo, mas nosso autor enxergava, em suas competências, a capacidade de administrar a multiplicidade de tarefas, de projetos etc. que não necessariamente fossem relacionados entre si. Há vinte anos, repita-se, parecia impensável. Sem internet, sem fronteiras rompidas na comunicação, havia poucas maneiras de canalizar essa vontade. Mas reconhecer aquilo que o fascinava – e, ao contrário, aquilo que o angustiava no mundo do trabalho – ajudou a enfrentar melhor os dissabores cotidianos e a buscar, com o tempo, sua própria fórmula de satisfação.

Eis um elemento fundamental no processo de introspecção e autoconhecimento: a ausência de fórmulas universais. "O que me frustra? O que me fascina? Quais são os meus ativos? Como consigo neutralizar os problemas e barreiras que surgem em minha vida profissional?". Suas respostas sempre serão individuais, jamais coletivas. E são impactadas por fatores externos, mas o impacto é único, singular. Sobretudo para quem deseja fugir da pseudofantasia da zona de conforto, da caixinha protegida da acomodação e das ilusões de uma vida sem risco.

Autoconhecimento é um exercício para o qual não existe uma única fórmula. Pode ser um processo objetivo ou subjetivo, espontâneo ou voluntário, mas, independentemente do método, é um exercício fundamental para entender as reais motivações e propósitos que endereçam as suas escolhas de carreira e de vida. Vamos nos aprofundar mais sobre isso no próximo capítulo.

8

EM QUE PARTE DE SUA CARREIRA VOCÊ ESTÁ?

Logo no primeiro capítulo da Parte 1 deste livro, apresentamos e refletimos sobre a carreira – a sequência de experiências profissionais que uma pessoa experimenta ao longo de sua vida. Se antes eram poucas e estáveis as carreiras – engenharia, direito, medicina e pouca coisa além disso –, a sociedade moderna garantiu aos indivíduos uma multiplicidade extraordinária de opções, ampliando as exigências e as possibilidades de escolha. E, mais do que isso, levou os profissionais a se depararem com uma realidade muito mais complexa. De um lado, a praga da insatisfação no trabalho. De outro, a epidemia de incertezas sobre como escolher a carreira certa. Como tempero a esse caldo efervescente, uma decisão sobre a carreira, diferentemente do que era no passado, não significa uma opção para toda a vida. Podemos escolher uma carreira na adolescência, mudar na faixa dos 30 anos, aos 40 enfrentar novos dilemas e, aos 50, promover uma nova guinada na vida profissional. Trata-se de um dilema que enfrentaremos repetidas vezes ao longo de nossa vida.

Como afirmam o historiador Leandro Karnal e o filósofo Clóvis de Barros Filho no livro *Felicidade ou morte*, a busca por liberdade é um dos traços da vida contemporânea. E a liberdade, dizem eles, é esse traço da vida quando não há essência que a condicione. Sabemos, é claro, o quanto é difícil fazer escolhas: "Elas são um cobertor curto. Sempre. E só não enxerga o cobertor curto quem foi vítima de algum tipo de inculcação dogmática que o convenceu da existência de um único gabarito para a vida",[1] afirma Leandro Karnal nesse livro, concebido em formato de diálogo entre os dois autores. O cobertor curto, no caso, se deve ao fato de que, quanto maior a lucidez de cada um de nós, maior a certeza de que toda a decisão implica caminhos que desatendem, maculam, agridem e podem ter valor negativo.

Daí a menção, feita também na primeira parte do livro, ao conceito de "carreira proteana", desenvolvido por Douglas T. Hall. Nela, o protagonismo do indivíduo ganha destaque: é ele o condutor da própria carreira. Cabe ao profissional, e não à família ou à empresa a que pertence, tomar as decisões. Com base em valores, necessidades, anseios, metas de crescimento pessoal e profissional – alicerçado, enfim, no autoconhecimento que desenvolve e no propósito que enxerga, temas também de capítulos anteriores. Se Proteus, o deus grego da transformação, é homenageado nesse conceito de carreira, é porque o mito da "carreira para toda a vida" com o tempo se esfacelou para muitas pessoas. Mais do que nunca, precisamos da habilidade de Proteus para mudar de forma ao comando de nossa vontade.

Agora é o momento de questionarmos: em que estágio de sua carreira você se encontra? Antes de respondê-la, uma nova lembrança provocativa. É preciso afirmar e reafirmar: somos gestores da nossa própria trajetória. Não patrocinemos para nós mesmos uma vida triste. Não admitamos que se considere *happy hour* apenas às sextas-feiras, após as 18 horas, quando deixamos nossos empregos, assim

---

1 Clóvis de Barros Filho e Leandro Karnal em *Felicidade ou morte*. Campinas: Papirus, 2016, p. 31.

condenando o restante da semana à pesarosa instrumentalização de seu trabalho em busca do enriquecimento de pessoas que talvez você nem venha a encontrar. Não nos deixemos consumir pela angústia da chegada da segunda-feira.

Voltamos, assim, à pergunta: em qual parte você está em sua carreira? Ela é sinônimo de sofrimento, de angústias? Encontra-se num estágio de resignação? Enfrenta neste exato instante o dilema da indefinição, em que você precisa tomar decisões relevantes que podem significar uma mudança profunda? Ou ainda: você está feliz com sua carreira, mas teme a iminência de uma crise que pode chegar a qualquer instante, vivendo um fantasma à espreita de sua satisfação momentânea? Se você vive intensamente a carreira que escolheu, se sua alegria de viver se estende ao trabalho de segunda a segunda ou se você enxerga no trabalho uma forma pragmática de obtenção de dividendos materiais (e lida bem com isso), o questionamento deste capítulo será de pouca serventia para você. Mas se você integra a gigantesca massa de profissionais que lidam diariamente com dificuldades, dúvidas, incertezas sobre as decisões tomadas, o momento é de reflexão.

Edgar Schein, ph.D em psicologia social pela Universidade de Harvard e ex-professor da escola de negócios do Instituto de Tecnologia de Massachusetts (MIT), nos Estados Unidos, foi um importante teórico do mundo do trabalho – vem dele o conceito de "cultura organizacional". Na década de 1970, Schein criou uma teoria bastante conhecida na área: a das âncoras de carreira. Elas podem ser consideradas os pilares que norteiam as decisões de carreira dos profissionais. Trata-se do conjunto de habilidades, valores e necessidades que fazem uma pessoa seguir uma carreira e se manter numa profissão. Simples e complexo assim.

São oito as âncoras de carreira segundo o teórico: autonomia, segurança, competência técnico-funcional, competência gerencial, criatividade empreendedora, dedicação a uma causa, desafio puro e estilo de vida. Um exemplo de como as âncoras, se dissonantes em relação ao trabalho exercido e ao emprego ocupado, podem afetar de maneira significativa o profissional: se uma pessoa tem como uma das âncoras autonomia e trabalha num lugar extremamente rígido e engessado, as chances de estar infeliz com o trabalho são enormes. Talvez seja o caso de procurar uma empresa mais adequada às âncoras que possui. Algo semelhante que propõe também o professor Roman Krznaric, no livro (já citado) *Como encontrar o trabalho da sua vida*. "Como podemos saber qual a carreira certa para nós neste momento de nossas vidas?", ele pergunta. Em outras palavras, como identificar a fase em que nossa carreira se encontra? Algumas perguntas básicas que ele propõe para isso:

– De que forma as carreiras que você pesquisou são diferentes daquilo que esperava?

– Sobre que tipo de trabalho você falou com mais entusiasmo com outras pessoas?

– Qual deles proporcionou o tipo de sentido que você está buscando numa carreira?

A última questão, diz ele, é vital, pois o sentido é a base para uma carreira com a qual nos sentimos bem, satisfeitos, felizes. Já falamos da ideia do sentido, ou mesmo do propósito, para a autorrealização: dinheiro, status, fazer a diferença, ter prazer no que faz. Ou, dito de outro modo, quando discutimos o conceito de propósito: o que você ama fazer, o que faz bem, em que pode ser remunerado, do que o mundo precisa.

Estar no começo, no meio ou num suposto fim de carreira também demarcam diferenças substantivas para a reflexão sobre seu estágio atual. O exemplo clássico: no início de carreira, engolimos mais sapos, estamos aprendendo como funciona a realidade da atividade que escolhemos. A necessidade de conquistar uma remuneração melhor também leva a uma maior resiliência ao trabalho que, em princípio, pode nos deixar insatisfeitos – tudo em nome do nosso propósito. Uma vez experiente, bem-sucedido, com um bom portfólio e maior capacidade de escolha, fica mais fácil decidir o que efetivamente você quer fazer. E assim por diante. A fase de sua carreira interfere diretamente nas decisões que você toma – seja para ficar onde está, seja para mudar.

Considere o exemplo de Alexandre. Em 2014, havia um mês que ele deixara o "todo-poderoso" posto de presidente de uma grande multinacional de entretenimento responsável pelo catálogo de artistas renomados e os maiores vendedores de discos da história do país. A gravadora havia lhe oferecido o cargo de vice-presidente da América Latina. Em uma entrevista para uma revista de grande prestígio e circulação nacional, quando questionado sobre o que ele desejava, Alexandre disse que na verdade queria mais e também menos. Mais do que a indústria fonográfica poderia oferecer; e menos compromissos em sua conturbada agenda para que pudesse intensificar o relacionamento com a família e os amigos.

Naquele momento, o empresário preferia correr na Lagoa Rodrigo de Freitas e escrever 120 páginas de um livro sobre o mercado. "Já tinha comunicado que precisava de um novo desafio, a partir da Copa do Mundo", disse o executivo. "Surgiu o convite para ser o VP da América Latina. Mas foi só desligar o telefone e me veio à cabeça que não queria mais." Ao passar em frente a um casarão antigo, dos anos 1920, no bairro Jardim Botânico, zona sul do Rio de Janeiro, veio o estalo: o desejo de abrir um restaurante vegetariano. De comidas naturais – ou comida viva (no inglês: *raw food*). Casava com aquilo que queria: uma casa charmosa, de frente para o Jardim Botânico, a poucas quadras da Lagoa.

O negócio deu certo, e Alexandre pôde passar a viver a vida que queria: além de fazer o que gosta (o que já acontecia na gravadora), ter tempo para si e para a família. Ir de bicicleta ou a pé para o trabalho. Cortar pela raiz as exigências de excesso de viagens, que já o esgotavam. Abriu mão de aborrecimentos para fazer algo que, na teoria e na prática, davam-lhe muito prazer. Ele é um dos muitos exemplos de que carreira – é sempre bom repetir – é um pedaço da sua vida. Pode ser um microcosmo ou algo de imenso significado e dimensão.

A consciência de si (autoconhecimento), do seu propósito e do momento de sua vida fazem a diferença na hora de escolher o (novo) caminho a trilhar. Não sem complexidades no processo de decisão, não sem dificuldades no horizonte. Nesse processo, como lidar com a mudança e o medo e a superação inerentes a ela? Vamos discorrer um pouco mais sobre isso no próximo capítulo.

9

POR QUE RESISTIMOS À MUDANÇA

Mudar é difícil. Não mudar é fatal. Mudar é preciso para superar medos, aprender a viver, amar e ser feliz com autenticidade e propósito. Mudar significa deixar a zona de conforto a que nos habituamos. Lembremo-nos da famosa Lei de Newton, a inércia, que sempre regeu o ser humano: quando nenhuma força é exercida sobre os corpos, sua tendência é permanecer em seu estado natural – em repouso ou movimento, tanto faz, o ponto é que se mantém de maneira retilínea e uniforme. Por isso, mudar é difícil. Resistimos às mudanças, ao recomeço, ao desconhecido, à alteração de rota, enfim, à (re)descoberta de novas trajetórias possíveis.

Dessa vocação, surgem frases-símbolo no mundo do trabalho: "Um dia, quando tiver tempo, vou fazer aquilo de que gosto". "Assim que tiver melhores condições, me dedicarei ao meu sonho". "O meu plano, quando me aposentar, é finalmente fazer aquilo que me dá prazer". São frases comuns em pessoas que alimentam a ideia de um dia se livrarem das atribuições do cotidiano e finalmente se ocuparem da atividade de que efetivamente gostam. Mas costuma ser, habitualmente, um projeto para o futuro. A mudança nunca é aqui e agora. Mesmo em momentos de crise, mudar é complicado. Mas temos duas opções: ou deixá-la passar batido ou gerenciá-la. Muitos a deixam passar.

Resultado: miramos o futuro ou celebramos o passado, mas dar foco ao presente, com suas decisões (e mudanças) necessárias e contínuas, isso é mais difícil. Se projetamos para o futuro nossa felicidade, que virá de uma grande mudança sonhada, também é verdade que, em geral, olhamos para o passado com a percepção de que éramos mais felizes. E como foi bom, imaginamos que em algum dia voltaremos a esse lugar. Há um clássico da literatura que traduz com precisão essa percepção: *Em busca do tempo perdido*, do escritor francês Marcel Proust. O papel da memória é central no romance – as recordações passam por cheiros, sons, paisagens ou mesmo sensações táteis.

Mudar gera insegurança, mas não apenas pela tendência à inércia ou por fatores subjetivos, irracionais. Os economistas descrevem a dificuldade de escolha para mudar no que chamam "decisão baseada em *custos irrecuperáveis*". Num exemplo prático do cotidiano, se você compra um par de sapatos caríssimos, mas que se mostram horrivelmente desconfortáveis, não vai querer jogá-los fora. Afinal, custaram muito caro (este exemplo está em outro livro já citado por nós, *O paradoxo da escolha*, de Barry Schwartz). No mesmo sentido, você relutará em abrir mão de uma carreira jurídica para a qual dedicou uma década de sua vida, mesmo considerando-a insatisfatória. Os custos irrecuperáveis são altos demais para serem ignorados.

Conclusão? Esse sentimento de que podemos estar desperdiçando tudo pelo qual lutamos para conseguir constitui uma das maiores barreiras psicológicas enfrentadas por aqueles que contemplam uma mudança de carreira. Não é nada fácil passar anos trabalhando para subir na vida como advogado ou publicitário – ou desempenhando qualquer outra função – e depois perceber que está infeliz ou que deseja fazer outra coisa. Não é nada fácil se dispor a abrir mão de uma identidade de trabalho que lhe garante status e sensação de pertencimento. Não é nada fácil descobrir o vazio ou se deparar com o abismo à sua frente. É verdade que as habilidades adquiridas numa carreira podem ser aplicadas com sucesso em novas situações, mas mesmo essa constatação não facilitará seu caminho rumo à mudança.

O resultado é uma luta constante com nosso passado. É se mostrar incapaz de tomar a decisão de tentar algo novo. Alguns psicólogos chamam isso de fidelidade à pessoa que fomos, em vez de fidelidade à pessoa que esperamos nos tornar. Focamos no possível arrependimento posterior. Um tipo de arrependimento é pensar em abandonar a carreira para a qual dedicamos tanto tempo, energia e emoção. Outro arrependimento é a possibilidade de olhar para trás quando envelhecermos e lamentar o fato de não termos abandonado um trabalho que não nos proporcionou o tão desejado sentimento de realização. Qual deles levamos mais em conta na hora de tomar decisões? A resposta sugere o caminho que você vai trilhar. O filósofo britânico A.C. Grayling escreveu recentemente: "Se existe algo a se temer no mundo, é viver de forma a ter motivos para arrependimento no final".[1]

Mas uma certeza deve ser levada em conta: nossas escolhas iniciais, de formação, profissão e carreira podem ter sido feitas quando éramos pessoas muito diferentes daquelas que somos hoje. Muitas vezes isso significa manter-se em um emprego que não atende mais nossos pensamentos, nossos propósitos, nossa personalidade e nossas aspirações. É como um casamento que chega ao fim depois de anos de convivência, simplesmente porque ambos mudaram – ou apenas um. Mesmo doloroso, o processo inevitável – ou esperado – é a mudança.

Mudar, convém repetir, significa encarar os riscos. Ou, como já dissemos em outro capítulo, representa o afastamento da fantasia da zona de conforto – aquele lugar que nos "protege" das ameaças da vida, as incertezas da existência, os fantasmas pessoais e profissionais,

---

1 Citado por Roman Krznaric em *Como encontrar o trabalho da sua vida*. Rio de Janeiro: Objetiva, 2012, p. 40.

as inseguranças, o desconforto da novidade, do desconhecido, do que não sabemos. Zona de conforto é uma fantasia tão grande quanto a ilusão de que seja possível viver uma vida sem riscos. Vale a máxima de que os riscos – assim como o erro – são oportunidades de vida, nos permitem crescer como indivíduos e como profissionais.

A mudança muitas vezes significa NÃO mudar. Podemos enfrentar um momento de profunda melancolia e, ao refletir sobre ele e sobre as razões que nos inquietam, iluminar nossa decisão e resolvermos, por ora, ficar onde estamos – eliminando a angústia. Um bom exemplo vem de Max Gehringer. Em seu programa na rádio CBN, o famoso consultor de carreiras contou uma vez sobre o dilema enfrentado por uma executiva. Ela pensava: "Detesto meu trabalho, mas ganho muito bem, com salário e bônus maravilhosos, que me permitem gastar com muitas coisas interessantes. Mas no trabalho sou infeliz". A executiva o procurou com a pergunta clássica: "O que faço? Mudo de emprego para me sentir melhor no trabalho ou aceito a infelicidade na minha rotina profissional em nome de outros benefícios?". É um dilema com o qual muitos se deparam, uma divisão entre diferentes propósitos.

Max Gehringer deu-lhe uma resposta digna de reflexão. Ele lembrou que podemos ter dois lados distintos na vida, duas metades bastante diferentes, mas interligadas: o lado do trabalho e o lado do não trabalho, ou o que chamamos de vida pessoal. A primeira metade mistura muita coisa, inclusive relacionamentos. A segunda envolve outras dimensões da vida que podem não ter relação alguma com o que você faz em seu emprego.

A saída apontada por Gehringer: se você não encontra prazer no trabalho, pode buscar no outro lado muitos espaços de alegria, satisfação, bem-estar e felicidade. Momentos de prazer que compensarão o que não tem nas horas de trabalho. Espaços e momentos de desenvolvimento, de desafio intelectual, de crescimento espiritual ou o que quer que mobilize sua cabeça. Em síntese, segundo ele é possível compatibilizar dois estados – um de alegria, outro apenas de responsabilidade, com diferentes papéis que convivem juntos, produzem resultados diferentes, mas se complementam na criação de condições para a sua satisfação.

Em outras palavras, é possível dar foco ao resultado total, o que permitiria que um emprego bem pago, mesmo fonte de inquietação e infelicidade, garantisse uma renda capaz de fazer florescer momentos prazerosos em outros espaços de sua vida.

Não se trata de uma equação simples de resolver. Entre nós, autores, há quem veja no trabalho infeliz um boicote contra si mesmo. Um boicote contra seu potencial, contra seu destino, contra a sua vida. Se você está infeliz no trabalho, há algo de muito errado, que precisa ser mudado, uma vez que o prejuízo pode ser muito maior no futuro. Aos 30 anos pode-se estar no lugar errado, numa empresa na qual você não acredita. Você resolve ficar. O tempo passa. Aos 50, é demitido ou resolve sair da empresa, e pode surgir a reflexão: "No momento mais produtivo da minha vida profissional, eu era infeliz, mas não posso recuperar o tempo perdido naquela fase. O tempo não volta". Novamente, a questão dos arrependimentos vem à tona.

Em síntese, você ficou num lugar e numa atividade geradora de infelicidade. Agiu como um sabotador de um grande período de sua própria carreira. Como o leitor pode ver, há sempre diferentes dimensões num mesmo problema. Mas é preciso ressaltar: ser infeliz no trabalho é bastante distinto de enxergar o trabalho como um meio, não como um fim; agir pragmaticamente; usá-lo como uma forma de obter as condições para gozar a vida em outros espaços que não o do trabalho. Não há julgamentos morais, muito menos entre o que é certo e o que é errado. Dedicar 95% de sua vida à carreira e 5% à sua família é uma opção tão legítima quanto uma divisão inversa. Como o caso de um executivo que admitiu: "Negligenciei minha família em nome da minha carreira e do meu sucesso profissional. Mas não me arrependo. Paguei um preço alto, meus filhos têm vínculos frágeis comigo, um chega até a ter raiva de mim, mas fui feliz no que eu estava fazendo. E por isso, repito, não me arrependo das minhas escolhas". Um depoimento forte e sincero. E talvez não incomum.

No início de 2014, o programa *Fantástico*, da TV Globo, anunciava uma pesquisa, segundo a qual mais da metade dos entrevistados, mesmo os empregados, mostravam-se inclinados a dar uma virada na carreira e mudar de trabalho naquele ano que iniciava. O motivo de tanto desejo? A busca pela famosa "qualidade de vida". Outra coisa, como aumento de salário (33,7%) e promoção (25,1%) apareciam em segundo plano. Na maioria dos casos, porém, quando alguém anuncia "vou começar tudo de novo", a reação inicial dos familiares e amigos é: "Pense melhor, porque o risco é grande, não vale a pena trocar o certo pelo duvidoso".

O curioso é que, estatisticamente, esses conselhos estão corretos. Não há portas escancaradas no mercado de trabalho para quem decide mudar subitamente de direção. Isso não significa, no entanto, resignar-se a uma vida sem mudanças. As portas podem não estar escancaradas, mas há portas semiabertas – pequenas, reduzidas, restritas para alguns, mais amplas para outros. Portanto, mudar envolve riscos, paciência e a capacidade de lidar com a frustração de receber respostas negativas, ou mesmo de nem sequer recebê-las por um bom tempo. Encontrar as oportunidades exige esforço e dedicação. Essa é uma das razões pelas quais muitos desistem de continuar tentando. Voltam a fazer o que sempre fizeram e acusam o mercado de trabalho de ser insensível à sua competência – o que muitas vezes realmente é.

Mudanças do gênero nem sempre resultam de grandes crises ou grandes incômodos. Quando divulgou a pesquisa, o próprio *Fantástico* entrevistou um profissional chamado Abel, exemplo muito comum no mercado de trabalho: "Estava num emprego que me fazia feliz, gostava do que fazia, era bem remunerado por isso", contou Abel. "Porém não tinha um desafio proporcional àquilo que eu achava que poderia fazer. Conversando num bar com meus amigos, eu manifestei o interesse de mudar de emprego ainda em 2013. E meu telefone começou a tocar.

Eram propostas de emprego". É uma decisão comum e talvez a mais fácil de ser tomada. Mas que também requer uma dose de coragem. Estamos cercados por pessoas que um dia prometeram alguma coisa para si mesmas e a fizeram.

Muitos pensam em mudar de emprego ou abrir o próprio negócio. Outros projetam mudar radicalmente de carreira – no estilo "parar de fumar", quando se para de um dia para o outro contando com a força de vontade para segurar sua decisão. Ou, mais comum, há os *baby steps*, pequenas mudanças que vamos incorporando à nossa vida, mas que depois de algum tempo fazem uma enorme diferença. Equivale a começar com pequenas caminhadas algumas vezes por semana, seguidas de pequenas corridas, para enfim chegar a percursos de 10 quilômetros ou mesmo a maratonas.

O importante é mantermos uma predisposição para a mudança, tentando nos aproximar mais das pessoas que significam algo para nós, buscando aprender sempre para nos tornarmos pessoas melhores e nos realizarmos profissionalmente.

Mudanças radicais, é bom lembrar, podem funcionar, desde que sejam feitas de modo racional, e não emocional. Alguns erros são comuns e precisam ser evitados. Por exemplo, mudar só porque não gosta da empresa em que trabalha ou do chefe. Outro: mudar só porque conhece alguma pessoa que parece feliz fazendo o que você está pensando em fazer. Terceiro: mudar apressadamente, ainda sem entender muito bem as exigências da nova carreira. Quarto: jogar fora o que você já conseguiu. Mudar faz parte da história e do ritmo de cada um, a intensidade e o momento dependem de fatores muito singulares na vida de cada profissional.

Mais uma vez, o autoconhecimento, a identificação do(s) seu(s) propósito(s) de vida e o compartilhamento de suas inquietações e projetos – com um coach, um amigo, um terapeuta ou a sua família – são fundamentais para demarcar a diferença entre o sucesso e o insucesso da mudança. Mudar, afinal, implica ter alguma dose de certeza e de segurança sobre o outro lado – de uma mudança de emprego a uma mudança de relacionamento.

Com todos os riscos e benefícios envolvidos, sempre há um modo de mudar e recuperar o tempo perdido, assim como esperar o momento mais adequado e seguro (ou não).

10

CURTO OU LONGO PRAZO: AS ARMADILHAS DE CADA UM

Entre muitas das frases desconcertantes do economista inglês John Maynard Keynes, uma das mais famosas é aquela em que afirma: "No longo prazo, todos estaremos mortos."[1] Ele buscava dizer com a sentença, publicada em seu *A Tract on Monetary Reform* (Tratado sobre a reforma monetária), que o longo prazo costuma ser um guia muito confuso para a conjuntura, para a discussão do momento presente e de suas circunstâncias. Numa de suas citações, o economista brasileiro Eduardo Giannetti inverteu a fórmula para falar do Brasil. Se, para Keynes, no longo prazo estaremos todos mortos, diz o autor do *O valor do amanhã* e *Trópicos utópicos*, no Brasil se dá o contrário: no curto prazo estamos mortos, mas no longo estaremos vivos.

Eis uma boa ironia para retratar os dilemas de curto prazo no Brasil, com seus profundos e históricos problemas, mas com um imenso potencial de mudança. A brincadeira também é útil para discutir as

---

1 *A Tract on Monetary Reform* (1923), Ch. 3, p. 80.

armadilhas com as quais lidamos ao pensar ora no curto prazo, ora no longo prazo, em relação ao que somos e ao que queremos ser – como vemos o futuro e como agimos no presente para nos conduzir até ele.

No capítulo anterior, descrevemos e analisamos a tendência habitual de deixarmos a mudança para o futuro e a frearmos no aqui e agora. Os planos futuros e as memórias do passado costumam ser mais interessantes, atraentes e confortáveis do que os dilemas do presente – com suas angústias, sua exigência para tomada de decisões e a imposição de escolhas contínuas. Para repetir: miramos o futuro ou celebramos o passado, mas é muito mais difícil dar foco ao presente, com suas decisões (e mudanças) necessárias e permanentes.

Para alguns, o sucesso e a felicidade virão no futuro – "quando as condições melhorarem", "quando tiver tempo", "quando chegar o momento da aposentadoria". Virão o tempo, a tranquilidade, o dinheiro, o descanso e o convívio com a família. Para outros, virão em algum momento próximo do amanhã – escrever um livro, dedicar-se à pintura, mandar o chefe viajar para a China e nunca mais voltar ou abrir o próprio negócio. O problema é quando, na ausência de planejamento, de coragem e de ação, se passa a vida inteira cuidando de ficar vivo e não necessariamente realizando os projetos que ambicionou quando tinha menos tempo disponível. Como afirma o filósofo Mario Sergio Cortella, procrastinação contínua é um distúrbio. Um indicador de que a pessoa tem medo de realizar algo. Há quem veja na realização daquilo que se almejou tanto um risco enorme: pode acabar não sendo aquilo que, de fato, vai tornar a pessoa feliz. O escritor Oscar Wilde dizia, com sua ironia característica, que o pior que os deuses podem fazer pelos homens é atender às suas preces (há uma variação de tradução: "quando os deuses querem nos punir, respondem às nossas preces").

Sonhar escrever um livro, dedicar-se à pintura ou trabalhar num "emprego dos sonhos" sem alcançar nada disso permite que se viva o sonho – e sonho quase sempre tem o bônus de ser prazeroso, sem o ônus de exigir o trabalho que dá atingi-lo. A expectativa se transforma em algo melhor do que a realização. Como escreveu o poeta português Fernando Pessoa: "Na véspera de não partir nunca/Ao menos não há que arrumar malas".[2] Afinal, inevitavelmente surgirá a questão: após a realização, qual o próximo passo? Eis uma de suas principais armadilhas.

Outro poeta, o chileno Pablo Neruda brincava com uma ideia icônica: "Escrever é fácil, você começa com uma letra maiúscula e termina com um ponto final. No meio você coloca ideias".[3] Em outras palavras, começar com uma letra maiúscula e concluir com um ponto final parece ser uma tarefa bastante fácil. Mas achar as ideias do meio e colocá-las no papel pode levar anos, décadas, uma vida inteira.

Às vezes, porém, a procrastinação pode ser sinônimo de prudência e reflexão, com ganhos maiores no futuro. Um experimento de pesquisadores da Universidade de Harvard, divulgado no início de 2016 ajuda a aprofundar a reflexão. Os participantes da pesquisa eram solicitados a fazer um plano de poupança, com duas possibilidades: um imediato e outro de longo prazo (cerca de um ano). O imediato obteve o apoio de apenas 30% dos participantes, enquanto o de longo prazo ganhou o apoio de 70%. Para os pesquisadores, quando estamos mais focados no presente do que no futuro distante, corremos o risco de tomar decisões equivocadas visando resultados imediatos, que nem sempre são obtidos. É o fenômeno chamado de "inconsistência do tempo". Já quando pensamos no futuro, preferimos fazer escolhas eventualmente mais conservadoras, mas que rendam benefícios de longo prazo. E essa atitude possibilita uma reflexão mais proveitosa e planejada, daí a preferência pela procrastinação.

O problema é que acabamos sendo levados a procrastinar mesmo em situações que exigem definições mais rápidas. "Adie para

---

2 Poema "Na véspera de não partir nunca", Fernando Pessoa. *Poemas de Álvaro de Campos*, Edição Crítica de Fernando Pessoa, Série Maior, Lisboa, 1990, p. 253.

3 Citado por Mario Sergio Cortella em *Por que fazemos o que fazemos?*. São Paulo: Planeta, 2016, p. 121.

o nunca", brincava folcloricamente o cantor e compositor baiano Dorival Caymmi. Por isso, é preciso harmonizar essas duas atitudes. Um caminho é fazer com que os benefícios de longo prazo tenham efeito psicológico imediato (quanto eu perderia se não planejasse agora?). É útil também perceber o ônus da procrastinação de forma mais clara (como os outros reagirão se eu adiar essa reunião? Que impacto haverá sobre meu trabalho e sobre mim se eu atrasar a entrega de uma demanda?).

Citando mais uma vez o economista Eduardo Giannetti, em *O valor do amanhã* ele destaca algumas ideias apropriadas para pensar o curto e o longo prazo – em todos os níveis de nossa vida. O livro é um ensaio sobre a natureza dos juros e o preço que eles cobram para o presente e para o futuro. Os juros fazem parte da vida de todos os homens – aparecem tanto nas discussões sobre o crescimento econômico da nação como em detalhes pequenos do cotidiano.

O princípio econômico é simples: o devedor antecipa um benefício para desfrute imediato e se compromete a pagar por isso mais tarde, e quem empresta cede algo de que dispõe agora e espera receber um montante superior no final da transação. Giannetti defende que esse aspecto dos juros é apenas parte de um fenômeno natural maior, tão comum quanto a força da gravidade e a fotossíntese: "Não se restringe ao mundo das finanças, [atinge] as mais diversas e surpreendentes esferas da vida prática, social e espiritual, a começar pelo processo de envelhecimento a que nossos corpos estão inescapavelmente sujeitos",[4] escreve.

Desde o momento em que aprendeu a planejar sua vida, diz Giannetti, o homem antecipa e projeta seus desígnios usando tal prática. A noção de juros já "está inscrita no metabolismo dos seres vivos e permeia boa parte do seu repertório comportamental".[5] A prática

---

4   Eduardo Giannetti em *O valor do amanhã*. São Paulo: Companhia das Letras, 2005, p. 10.
5   Idem, p. 11.

de dieta, a dedicação aos estudos e os exercícios físicos para melhorar a saúde são situações da vida nas quais se manifesta a realidade dos juros.

O livro menciona um dilema posto à mesa de todos: *menos antes* ou *mais depois?* O resultado depende de dois fatores principais: a) da força do apelo à espera, ou seja, da intensidade e do brilho da expectativa do *mais depois*; ou b) da sua capacidade efetiva de espera, ou seja, de sua força de vontade e de competência prática para não ceder ao impulso de ficar com o *menos antes*, mas aguardar e obter o prêmio/juro desejado. "Testes de gratificação postergada", concebidos e executados neste campo, sugerem, primeiro, que o resultado está diretamente correlacionado à idade. Segundo, que a capacidade de espera em idade pré-escolar está correlacionada com resultados de longo prazo em suas histórias de vida – as crianças que apresentaram mais força de vontade para conseguir uma gratificação maior *depois* foram mais bem-sucedidas.

É preciso observar, no entanto, que testes dessa natureza podem variar enormemente de uma cultura para outra. O que vale para o ambiente sociocultural norte-americano não necessariamente se aplica linearmente a outras culturas e sociedades. Mas há uma lição de caráter geral: pequenas diferenças no início da jornada – a disposição de esperar alguns segundos ou minutos adicionais para obter um ganho extra de satisfação de um desejo – podem se compor dramaticamente ao longo dos anos. Isso faz toda a diferença quando se fala de jovens adultos em início de carreira ou profissionais em idade avançada – idosos, por exemplo. Diz o poeta Hölderlin: "Como acredita o homem, em sua juventude, estar tão perto de seu objetivo! É a mais bela de todas as ilusões com a qual a natureza ampara a fraqueza de nosso ser".[6]

Mesmo não sendo tão extremista quanto o poeta alemão, é possível entender um componente duplo essencial da psicologia temporal

---

6   Citado por Eduardo Giannetti em *O valor do amanhã*. São Paulo: Companhia das Letras, 2005, p. 94.

da juventude: a impulsividade, de um lado, e o otimismo, de outro. No primeiro caso, o vigor dos sentidos e os afetos à flor da idade reforçam o apego ao momento e suas oportunidades de desfrute imediato. No segundo caso, a perspectiva de um tempo indefinidamente longo à sua frente e a disposição para sonhar e ser ousado diante do que a vida promete reforçam a confiança no futuro pessoal.

Não por acaso as gerações mais novas, como já dissemos, exibem uma capacidade de mudança muito maior, um grau de impaciência mais agudo com aquilo que as deixa insatisfeitas – um emprego, um chefe, um amor, uma realidade. Os mais jovens, com as devidas exceções, são mais imediatistas e ansiosos, mais impacientes com projetos de longo prazo. Pula-se de emprego a emprego com facilidade. Se no passado a maioria das pessoas ficava a vida inteira num só emprego, hoje a fluidez é o traço mais marcante da vida profissional.

Charles-Henri Besseyre des Horts, professor de gestão e recursos humanos da escola de negócios HEC Paris, ao analisar para a revista *Época Negócios* o comportamento da chamada geração Y, saiu em sua defesa. Para ele, num mundo de alta instabilidade, a falta de paciência dos mais jovens é justificada. A época em que um profissional construía sua carreira em uma só empresa ficou para trás, sabemos. Em tempos turbulentos, as companhias não são mais capazes de traçar planos de longo prazo para seus funcionários. Resultado: "Não dá para saber se no próximo ano a empresa será comprada ou passará por uma fusão. O nível de previsibilidade despencou",[7] afirma. Nesse contexto, faz sentido que a geração Y não queira esperar por compensações futuras, que podem nunca chegar.

O professor francês disse na entrevista algo extremamente importante. Segundo ele, esses jovens da geração Y são bastante engajados. Se houver um projeto que faça sentido para eles, ficarão na empresa:

---

7 "A geração Y não é egoísta. Ela é realista". *Época Negócios*. Disponível em: <http://epocanegocios.globo.com/Inspiracao/Carreira/noticia/2014/09/geracao-y-nao-e-egoista-ela-e-realista.html>. Acesso em: 14 fev. 2017.

"A geração Y não é egoísta. Ela é realista. Por isso se pergunta o que a companhia pode fazer por ela agora, no presente. A primeira empresa que um jovem desta nova geração administra é ele próprio."

Existe até um componente bíblico na reflexão sobre prazeres imediatos e ganhos futuros. Afinal, o imediato e o longo prazo estão no centro do comportamento de Adão e Eva. Deus lhes havia imposto uma regra: não comer da árvore da vida. A liberdade seria absoluta, menos o fruto da árvore do saber, do bem e do mal. "No dia em que comeres dela, morrerás", consta em Gênesis (2:17). A maçã, como consagrou a tradição, era interditada ao paladar humano. Porém, quando a serpente tentou, insinuou o contrário; Eva argumentou que não poderia nem comer "nem tocar no fruto" (Gênesis 3:3). Eva exagera a regra e a muda. O erro nasce do prazer imediato que se antecipa; o brigadeiro sedutor e tenro está no presente, à mão imediata. Criar uma poupança é tarefa árdua, e o gasto imediato é acolhedor e instigante. A virtude do futuro abandonada pelo prazer presente.

A negociação entre poupança no presente e obtenção de dividendos no futuro não se resume à economia. Está na natureza. Vide a fotossíntese, com a qual as plantas armazenam e produzem a energia necessária para o presente, visando se manter no futuro. Essa negociação está nas decisões de consumo e na obtenção de bem-estar. Mas está obviamente também nas decisões e escolhas de nossas carreiras. Está no centro do debate sobre o propósito de nossa vida. Há decisões para as quais se analisa o curto prazo. Outras, o longo prazo. Durante muito tempo esteve em vigor a ideia de que era preciso acumular, acumular, acumular, até que, quando chegasse a aposentadoria, se usufruiria dessa acumulação incessante pelo resto da vida.

Gozar agora ou adiante? Eis uma pergunta que você precisará responder ao longo de sua vida. Permanentemente. Mesmo, e principalmente, constatando que mudamos o tempo inteiro. Se você conversasse sobre carreira há vinte anos com os autores deste livro, certamente as ideias, os questionamentos e os resultados seriam bem distintos.

Nossa compreensão sobre o tempo, o curto e o longo prazos, as combinações, intersecções e *trade-offs*, entre outros, também dizem respeito às circunstâncias.

Tome-se um exemplo vindo de um dos autores deste livro. Ele sempre pôs como meta alcançar o posto de diretor em sua área – recursos humanos. Com esforço, dedicação e, claro, talento, aos 33 anos ele conseguira alcançar o tão almejado posto. Era 2004. E, naquele ano, atingira ali o auge do que se propusera desde quando era trainee. Seu objetivo era crescer na empresa em que trabalhava. Ele não parecia dedicado a criar, produzir, e sim a crescer na companhia.

Eis que, justamente naquele momento em que atingiu sua meta maior, descobriu ter um câncer. Foi inevitável a reflexão sobre o que havia feito até ali, e o que faria – e *como* faria – a partir de então. O estranhamento ficou evidente. Ficou evidente a percepção de que se integrara ao sistema, que apenas atendia a uma demanda externa, com toda a obtenção de dinheiro e status envolvida. Projetou seu sucesso para o outro (ou outros), não para si.

A vida em família, seus prazeres de curto prazo e as promessas de prazeres de longo prazo passaram a ser vistas de outro modo. O curto prazo começou a adquirir uma relevância bastante diferente daquele curto prazo de consumo. Questionamentos surgiram inevitavelmente: o que faço com o tempo de que disponho? Não o tempo do planejamento, mas o tempo do real, o tempo em que as coisas efetivamente acontecem. Passou a olhar não o ponto de chegada, não o seu projeto de futuro, mas o percurso, o caminho, a vivência, a experiência. Mudou, enfim, sua percepção do sucesso profissional, das trilhas escolhidas para atingi-lo e das diferenças marcantes entre o que fazemos no presente e esperamos do futuro. Temas para serem explorados nos próximos capítulos.

PARTE 3

O SUCESSO

11

ONDE ESTÁ O SUCESSO?

Faça o teste: vá ao site da Amazon do Brasil e se espante com os números. Entre livros impressos e e-books disponíveis no Kindle, são mais de 3 400 títulos com "sucesso" na capa – resultados similares poderão ser encontrados em grandes redes do país, como a Saraiva e a Livraria Cultura. Na loja da Amazon dos Estados Unidos, uma das maiores fontes de consulta on-line de livros à disposição dos leitores no mercado, o número chega a ser quase dez vezes maior. Sucesso, pode-se constatar, é um maná editorial. Boa parte dos títulos sugere a fórmula imbatível para alcançá-lo, trazem exemplos dos grandes vencedores, descortinam os caminhos, segredos, escolhas e origens do êxito, tanto na carreira quanto em outras dimensões da vida. *Os segredos do sucesso, Liderando para o sucesso, As sete leis espirituais do sucesso, Pense sucesso, seja sucesso, O guia do sucesso e da felicidade, Como criar um blog de sucesso, Planejando livros de sucesso, 50 tons de sucesso: Conselhos para uma vida próspera...* Não há julgamentos aqui (por ora), apenas a constatação inevitável: há de tudo e para todos os gostos no "maravilhoso mundo do sucesso". Quem quer sucesso busca o sucesso.

Com esse patamar, conclui-se que o mercado editorial oferece em larga escala o que tem enorme aceitação e apelo popular. A imprensa segue a mesma tendência. Nas revistas de economia e negócios e também de comportamento, são inúmeras as reportagens com dicas, lições, ensinamentos de homens e mulheres considerados exemplos de sucesso. "Bill Gates: 5 atitudes que te levam ao sucesso", "Warren Buffett: sucesso não tem nada a ver com dinheiro", "13 motivos que limitam o seu sucesso", "O hábito que ajudou Bill Gates, Warren Buffett e Oprah Winfrey alcançarem o sucesso", "Sete maus hábitos que podem impedir o seu sucesso", "Dez atitudes que uma pessoa de sucesso nunca tem" – eis aí também uma lista infindável de títulos capturados em publicações sérias e respeitadas.

Jogue a primeira pedra quem não se espelhou ou se espelha nos símbolos de sucesso, ou quem já não se deparou lendo sobre lições e trilhas para alcançar o sucesso. A propósito: para o bilionário Warren Buffett, segundo conta a sua biografia, *The snowball: Warren Buffett and the Business of Life*, de Alice Schroeder, sucesso não tem nada a ver com dinheiro, e sim com o fato de ser amado ou não: "Quando você chega à minha idade", disse o investidor, "você vai medir o sucesso na vida por quantas pessoas lhe amam". Bill Gates? O segredo do sucesso estaria, segundo ele, na dedicação ao hábito constante de aprender. Leitura, reflexão e experimentos constituiriam a trinca elementar do sucesso. Cada bilionário exibe a fórmula que lhe cabe.

O problema não é essa busca nem mirar nos exemplos – ao contrário, pensar no sucesso costuma ser uma prova de reflexão saudável sobre um dos elementos mais fortes, intensos, necessários e complexos para a vida de cada um de nós, de todas as idades e classes sociais. Não à toa "sucesso" é uma das quatro âncoras da estrutura deste livro. Se o tema está aqui e já permeou alguns dos capítulos anteriores, é porque também o consideramos extremamente relevante. O nó górdio é a identificação do que você classifica como sucesso. Para ser direto: rejeitamos qualquer tentação de apontar fórmulas e caminhos para alcançá-lo, como se todos fossem iguais perante o sucesso, tivessem os mesmos ideais e mirassem os mesmos objetivos e o mesmo modo de viver, trabalhar e se relacionar. Se você chegou até aqui, pôde perceber nos capítulos anteriores que estamos bem longe de imaginar um caminho único para qualquer dessas reflexões.

Lembremos mais uma vez os estudos seminais do pesquisador Douglas T. Hall, da Escola de Administração da Universidade de Boston. No conceito de "carreira proteana", ele sublinhou o papel do protagonismo do indivíduo. Cabe ao indivíduo não só a condição de condutor da própria carreira como também a identificação dos caminhos a escolher com base em valores diversos, segundo suas necessidades e anseios, metas de crescimento pessoal e profissional – fatores que são dinâmicos e, portanto, podem mudar ao longo do tempo. E, em seus critérios de avaliação, argumenta Hall, há fatores subjetivos e objetivos para definir o que é sucesso. Este pode estar ligado à percepção psicológica, às suas aspirações pessoais e a outras dimensões além da profissional. Em outras palavras, não apenas cargos e salários balizam as escolhas. Pode-se buscar o sucesso tanto segundo critérios objetivos, práticos, materiais quanto também a partir de critérios subjetivos e psicológicos, que incluem noções como sentido da vida, sentimento de realização pessoal e profissional, impacto sobre relações familiares. Ou ainda, o que ocorre em muitos casos, pode-se combinar as duas dimensões.

Na identificação de múltiplas definições, caminhos e critérios, chega-se àqueles que, mesmo sendo um exemplo de sucesso, rejeitam falar no assunto. Ou o relativizam. É o caso do navegador brasileiro Amyr Klink, protagonista de façanhas inacreditáveis, incluindo mais de quarenta expedições à Antártida e ter cruzado sozinho, a remo, o Atlântico Sul, como está registrado no best-seller *Cem dias entre céu e mar*. Há cerca de dois anos, em entrevista à revista *Época Negócios*, Klink afirmou: "Detesto quem fala em sucesso. Quem fica inventando caminhos para chegar até ele. Odeio livro de autoajuda. Por mim, eu queimaria todos". O navegador recorre a definições mais simples para elevar algo à categoria de sucesso. Para ele, a partida é o sucesso: "Se o barco que construí navegar, esse é o meu sucesso".[1]

Ram Charan, o indiano tido como um dos gurus de gestão e autor de cerca de vinte livros sobre carreira, é categórico: "Não existe algo como o sucesso". É o que ele afirma sempre que indagado sobre o próprio sucesso ou o sucesso dos outros. Segundo o autor, "é preciso sempre estar olhando para o futuro, buscando e se lembrando de se tornar cada vez melhor, melhor e melhor. O sucesso nunca é encontrado".[2] Pode ser uma declaração extremada, daquelas que servem para chamar a atenção e relativizar uma obsessão coletiva. Afinal, assim como a felicidade, a ideia de sucesso pode se tornar um problema na vida de cada um. Felicidade e sucesso, nesse caso, se transformam em duas faces de uma mesma moeda: satisfação no trabalho é possível e desejável; o problema é mergulhar numa espiral impiedosa de busca incessante. Brincando com outro tema já abordado em capítulos anteriores – o perfil do *workaholic* – o problema não é ser *workaholic*, mas *successaholic*, aquele sempre em busca de uma conquista atrás da outra, de modo constante e obsessivo, acreditando que na próxima finalmente alcançará a felicidade.

Essa é uma das teses presentes no livro *The Happiness Track* ("O caminho da felicidade"), de Emma Seppala, uma pesquisadora da Universidade de Stanford, nos Estados Unidos. Segundo ela, o *successaholic* imerge num círculo perverso que resulta em exaustão. Seppala menciona um mecanismo biológico que "recompensa" a corrida pelo sucesso no trabalho – e funciona de modo semelhante a todo vício.

---

1 "Amyr Klink: 'Detesto a palavra sucesso. Por mim, queimava todos os livros de autoajuda'". *Época Negócios*. Disponível em: <http://epocanegocios.globo.com/Inspiracao/Vida/noticia/2014/09/amyr-klink-detesto-palavra-sucesso-por-mim-queimava-todos-os-livros-de-autoajuda.html>. Acesso em: 14 fev. 2017.

2 Para ambas as citações: "Ram Charan: 'Não existe algo como o sucesso'". *Época Negócios*. Disponível em: <http://epocanegocios.globo.com/Inspiracao/Carreira/noticia/2015/05/ram-charan-nao-existe-algo-como-o-sucesso.html>. Acesso: em 14 fev. 2017.

Uma conquista de qualquer tipo dispara uma carga do neurotransmissor dopamina no cérebro, provocando uma sensação de prazer. Coisas simples como enviar um e-mail importante ou ticar uma tarefa concluída se transformam em ações que podem acionar tal mecanismo. Em algum momento, a necessidade constante de realizar uma tarefa a mais tem consequências que afetam a saúde e o funcionamento da mente. Resultado? Estresse emocional, tensão nos relacionamentos e até cinismo. No trabalho, queda na produtividade e perda da capacidade de atenção. São assombros do mundo contemporâneo.

Há autores que preferem sublinhar o papel do fracasso como fator essencial para identificar, encontrar e seguir o caminho do sucesso. Saindo um pouco do mundo corporativo, destacamos o jornalista e escritor norte-americano Gay Talese. Nova-iorquino, Talese se tornou famoso por incríveis reportagens publicadas em revistas como *The New Yorker* e por livros, como a biografia do jornal *The New York Times*. Em sua autobiografia, *Vida de escritor*, ele recorre a um modelo nada convencional de contar a própria história: fala sobre o ofício da escrita e dos reveses que acometem aos que por ele se aventuram. Em outras palavras, Talese contou as principais histórias nas quais fracassou. Conta, por exemplo, como passou meses apurando a história de Lorena Bobbitt, que cortou com uma faca de cozinha o pênis do marido, após ele ter tentado abusar sexualmente dela, segundo sua versão. O jornalista-escritor se esfalfou para reconstituir a noite da agressão e tentou entrevistar todos os envolvidos no episódio. Enfurnou-se num quarto e escreveu uma longuíssima reportagem. Enviou-a à revista *The New Yorker* e, no dia seguinte, acordou à tarde com um fax na porta: a diretora da revista recusara o texto.

Parafraseando a famosa abertura de *Anna Karenina*, de Tolstói, pode-se dizer que os sucessos são todos iguais, no sentido de que contêm elementos similares de celebração. Já os fracassos são diferentes, cada qual à sua maneira. Invertendo o pensamento, o caminho do sucesso não é uma linha reta – cada erro que cometemos pode ser uma catapulta para a próxima ideia. Uma crítica de arte chamada Sarah Lewis, considerada em 2010 uma das mulheres mais poderosas do mundo e com a experiência de ter trabalhado no Comitê de Políticas para as Artes a convite do presidente Barack Obama, publicou um livro intitulado *O poder do fracasso*, no qual afirma que muitas de nossas conquistas mais grandiosas – de descobertas recentes, ganhadoras do prêmio Nobel, a clássicos da literatura, das artes plásticas e da dança, até empreendimentos inovadores revolucionários – foram, na verdade, correções graduais e ajustes incrementais, com base na experiência adquirida. E não, como se poderia imaginar o senso comum, proezas revolucionárias.

No Brasil, o tema parece exibir uma característica ainda mais delicada. Afinal, ao mesmo tempo que o sucesso constitui um desejo e uma meta nacionais, por aqui, vale a máxima pregada uma vez pelo maestro Tom Jobim: entre os brasileiros, sucesso é ofensa pessoal. Costuma-se dizer que amigos só se conhece nos momentos de fracasso. Numa sociedade predominantemente cristã como a brasileira, o fracasso provoca expressões de consternação e solidariedade. Experimente dizer no trabalho ou na família que comprou um carro maravilhoso, que sua vida está ótima ou que o corpo está melhor do que nunca. Haverá exceções, claro, mas a tendência geral é incomodar. O sucesso incomoda, o fracasso alegra. Estudiosos ressaltam a diferença entre inveja e cobiça. Sentir inveja não significa cobiçar o sucesso alheio, ter a ambição de seguir a mesma trilha ou alcançar o mesmo status. Sentir inveja, diferentemente disso, seria a dor pelo sucesso alheio. Torcer pelo seu fracasso. Não à toa, na *Divina comédia*, de Dante Alighieri, os invejosos não vão para o inferno, e sim para o purgatório. O castigo: pálpebras costuradas por fios de arame. O castigo faz sentido, pois toda inveja vem do olhar.

Isso talvez explique o resultado de uma pesquisa divulgada em meados de 2016, conduzida pela Censuwide com base em mais de 11 mil usuários do LinkedIn em dezoito países, entre os quais cerca de mil brasileiros, a pesquisa mostrou o tamanho do incômodo que as pessoas sentem ao falar do próprio sucesso. A maioria dos profissionais brasileiros entende a importância de falar sobre suas conquistas no trabalho – 78% consideram esse um passo relevante para obter sucesso na carreira, e 83% acham fácil fazê-lo. Mas somente 42% se mostraram confortáveis nesse papel. Mais: 45% disseram preferir falar da conquista dos colegas do que das suas próprias. Para metade dos brasileiros, falar sobre o próprio sucesso profissional é uma forma de "se gabar" – algo visto como indesejável.

O sucesso, nesse caso, é visto como sinônimo de conquistas universalmente reconhecidas. Como já vimos, nem sempre o é. Reafirma-se: o sucesso exibe uma natureza fortemente individual, incluindo todos os históricos dilemas a que nos dedicamos aqui, como cargo e satisfação, dinheiro e felicidade, status e sentido de realização. Ou confrontações cotidianas, como construir uma carreira bem-sucedida sem sacrificar a felicidade em outros âmbitos da vida. Nesse aspecto, é preciso fugir não só das fórmulas prontas como também dos extremos. Não se trata de uma tarefa fácil, uma vez que vivemos numa sociedade justamente incentivadora do radical. Nossa cultura suga as pessoas, provoca a exaustão de suas forças, transformando o cansaço em estresse. Entre o desejo e o fato, entre a vontade e a satisfação, há um percurso de transição, um equilíbrio necessário e fundamental, cuja raiz está naquilo que nos motiva e nos mobiliza.

12

ENCONTRANDO O QUE NOS MOTIVA

Você observa o mundo à sua volta, reflete um pouco e se sente em estado de choque: crise econômica, instabilidade política, conflitos sociais, aumento do desemprego, menos dinheiro, mais trabalho, menos tempo livre, mais estresse. Na conjugação de astros ao seu redor, está a soma inevitável da desmotivação – o veneno oferecido a qualquer profissional. Reconhecer e perseguir os fatores que o deixam motivado é o melhor caminho para não entrar em depressão, o sofrimento que nos torna inertes, incapazes e infelizes.

Motivação tem a ver com propósito, e este, como vimos, está em nós. É consenso enxergar no trabalho um meio de obtenção de diferentes dividendos – qual dividendo preferencial de cada um é que "são elas". Afinal, você busca um trabalho para ser feliz, fazer a diferença, ganhar dinheiro, ter status, seguir sua paixão ou simplesmente usar seus talentos. Ou muitos ou todos esses objetivos juntos. São metas distintas e legítimas que dependem muito daquilo que cada um deseja para si, para sua carreira e para o que está em seu entorno. Que dependem, enfim, de sua motivação: dela sairá a orientação de suas escolhas.

Já escrevemos que encontrar nosso propósito implica entender aquilo que essencialmente nos motiva. Em muitas das atividades que exercemos, a quantidade e a qualidade não decorrem de fatores externos colocados sobre o profissional, mas de suas motivações. Há uma frase antiga segundo a qual "motivação é uma porta que só abre pelo lado de dentro". Em outras palavras, ela exibe um nível grande de subjetividade: é um estado interior, uma força mobilizadora que nos leva ao movimento.

Assim escreveu o cientista alemão Albert Einstein, um dos gênios da física moderna, no livro *Como vejo o mundo*: "Os ideais que iluminaram meu caminho e que sempre me deram uma nova coragem para encarar a vida de maneira alegre são gentileza, beleza e verdade. Sem o senso de proximidade com homens que pensam da mesma maneira, sem a ocupação com o mundo objetivo, a vida teria sido vazia para mim. Os objetos banais dos esforços humanos – coisas que temos, sucesso exterior, luxo – sempre me pareceram desprezíveis".[1]

Há quem ressalte a necessidade de separar motivação de estímulo. Segundo tal visão, a motivação seria interna, enquanto o estímulo, externo. É possível incentivar outra pessoa, dar-lhe estímulos. Mas não é possível motivá-la. Um gestor pode estimular, impulsionar um funcionário que trabalha com ele, mas dificilmente pode obrigá-lo a fazer algo a partir de uma atitude que deve partir da própria pessoa. Se não tiver origem no próprio profissional, o integrante da equipe é até capaz de cumprir uma ordem, mas provavelmente não estará motivado. Fará aquilo como tarefa, como dever, não como uma motivação.

---

1 Citado na *Época Negócios*. Disponível em: <http://epocanegocios.globo.com/Vida/noticia/2016/12/25-frases-de-albert-einstein-que-ajudam-compreender-sua-mente-revolucionaria.html>. Acesso em: 14 fev. 2017.

Os estímulos se dão de diversos modos: pela formação, pelo reconhecimento, pelo elogio, pela valorização, pela capacidade de orientar sem humilhar, pela possibilidade de estabelecer metas e prazos capazes de permitir ao profissional seguir na direção desejada em vez de se acomodar na situação em que se encontra. O estímulo pode vir, portanto, na forma de um prêmio, de um retorno financeiro ou do reconhecimento da autoria ou da qualidade daquele profissional e sua contribuição para uma tarefa, para uma equipe ou para uma empresa. Há pesquisadores que já defenderam a ameaça, ou uma motivação negativa, como mais eficaz para as empresas do que prêmios, mas isso não vem ao caso.

Em 2010, um analista de carreira com veia pop chamado Daniel Pink (ele foi também redator de discursos do ex-vice-presidente dos Estados Unidos Al Gore) publicou um livro intitulado *Drive: The Surprising Truth about What Motivate Us* ("Motivação: a verdade surpreendente sobre o que realmente nos motiva"). É dele também uma palestra popular no TED Talks batizada de "A surpreendente ciência da motivação". No livro, Pink usa a terminologia da internet para identificar os modelos motivacionais e explicar seu desenvolvimento. Trata-se de:

a) Motivação 1.0: até a Revolução Industrial, a maioria da humanidade estava preocupada apenas com o que teria para a próxima refeição e onde iria dormir. Em outras palavras, a principal força impulsionadora do ser humano foi a mera sobrevivência.

b) Motivação 2.0: o enriquecimento de uma parte da população global levou à substituição gradativa pela segunda fase. Nela, descobrimos que, ao dar uma recompensa para alguém, essa pessoa tenderá a repetir a ação que a fez ser recompensada. Ao puni-la, ocorre o oposto. Esse modelo motivacional ganhou força no mundo corporativo no século passado, transformando-se numa das essências da empresa moderna.

c) Motivação 3.0: é o modelo que Pink defende para o mundo contemporâneo. Segundo ele, as companhias precisam mudar e passar a aplicar a recompensa emocional tanto quanto a financeira. Por essa lógica, a motivação deixa de se basear somente em fatores tangíveis, como o salário, e passa a se basear também em aspectos intangíveis da função ou trabalho. Um exemplo? Uma política de horários flexíveis, capaz de permitir ao funcionário chegar em horários que lhe pareçam convenientes. O intangível, portanto, seria a liberdade, a possibilidade de gerenciar de maneira mais plena a própria vida.

É bonito na teoria, mas evidentemente aplicável apenas a algumas áreas, como empresas de tecnologia (o Google sugere a seus funcionários dedicar 20% do seu tempo a projetos pessoais), não a todas. Mas ajuda a chamar atenção para o fato de que, em pleno século XXI, existe um fosso entre o que a ciência aprendeu sobre a motivação humana e o que os executivos e teóricos da administração recomendam e ministram nas empresas. O modelo que prevalece ainda é o conhecido como taylorista, baseado na recompensa e no castigo. Ou, na definição popular: na cenoura e no porrete (o taylorismo vem do norte-americano Frederick W. Taylor, que no início do século XX pregava a ideia de dividir o trabalho em partes simples que pudessem ser padronizadas e repetidas à exaustão). Para muitos, porém, a melhor motivação é a busca da satisfação – aquilo que já nos referimos em capítulos anteriores, como a era da realização, a busca do sentido da vida, ou a meta de uma satisfação pela via do trabalho que vá além dos ganhos financeiros e materiais.

Isso faz com que uma das frases mais ouvidas nas empresas atualmente seja: "Trabalho muito, mas não sou reconhecido e estou desmotivado". Ou seja, o retorno financeiro tem importância central na vida dos profissionais, mas é relativo. A ausência de reconhecimento seria, segundo muitos consultores e especialistas em carreira, a principal causa da desmotivação no trabalho. Como afirma o filósofo Mario Sergio Cortella, embora o indivíduo saiba que é um empregado, a ideia de ser só "mais um" funcionário constitui um fardo muito maior. Desse modo, o não reconhecimento do valor, do resultado do trabalho, da colaboração no projeto coletivo, seria absolutamente frustrante para grande parte das pessoas nas corporações. Não à toa as organizações mais atentas ao capital humano costumam fazer o reconhecimento público – em festividades, no registro em meio de comunicação institucional ou em outras ações destinadas à distinção de seus bons profissionais. A ausência de reconhecimento se manifesta de várias formas: um chefe injusto ou um salário inadequado são duas delas.

Portanto, ainda que a motivação seja um fator interno, subjetivo, é possível oferecer elementos capazes de manter os funcionários motivados. Atentar ao processo criativo dos profissionais é uma das maneiras, em especial no caso das gerações mais jovens que não se sentem realizadas e motivadas se é dada a elas a missão restrita de simplesmente cumprir ordens ou executar processos e projetos que não ajudaram a conceber. Outro fator é o chamado resultado útil: as pessoas precisam ver valor e utilidade no resultado de seu trabalho. Lembrando de Sísifo, o esforço não pode ser em vão. A recompensa na medida certa, o incentivo para o trabalho, é outro elemento ligado à motivação: a recompensa (ou a punição) não pode ser muito grande nem muito pequena. Quando exageradas, o indivíduo perde a concentração na tarefa em si e só consegue pensar no que receberá em troca pelo esforço. Tanto a ausência de reconhecimento quanto o reconhecimento superdimensionado são atitudes equivocadas no trato com o profissional.

A cultura das *startups* ajudou a crescer o interesse pelos assuntos motivacionais. Elas trouxeram, por exemplo, modelos alternativos de remuneração. Há um senso comum entre os jovens empreendedores das *startups*: trabalhar muito, ganhar pouco, mas criar um enorme valor para a empresa. No mito dessa cultura, depois de um tempo vende-se a empresa (ou parte dela) por um bom preço, com um grande ganho para os envolvidos. É o símbolo do Vale do Silício, de Steve Jobs a Mark Zuckerberg: um trabalho em garagens, sem hierarquias, sem promoções, jogando futebol de mesa em pleno expediente, com potencial para transformá-los em futuros bilionários. Se essa cultura criou uma geração de certo modo iludida pela projeção de ganhos estratosféricos no futuro e pelo ideal de criar uma grande ideia, capaz de mudar o mundo, por outro lado ajudou a fomentar uma cultura de trabalho em rede, de revisão dos modelos hierárquicos, de mudança no papel das grandes organizações – que passam a perder competitividade e a adotar, elas mesmas, uma mentalidade de *startup*: estruturas e processos decisórios menos rígidos e mais ágeis.

Essa ideia não é consenso entre nós mesmos, os autores deste livro, mas é possível pensar, no extremo, numa rede de trabalho em que o profissional possa atuar para várias organizações simultaneamente. Em outras palavras, a relação entre empresas e funcionários é, em geral, regida por comunhão total de bens, mas pode ser, no futuro – por que não? – baseada em regime de separação total (ou parcial) de bens: o profissional pode ser 100% fiel ao negócio da organização, mas não necessariamente precisa casar e dedicar-se integralmente a ele. Evidentemente essa realidade pode estar longe de ser consumada ou mesmo não se confirmar no futuro, mas há sinais de estarmos numa transição capaz de estabelecer novos parâmetros de relações profissionais e de motivação para as pessoas.

Essa transição soa bonito para a elite ou para os trabalhos criativos – mas parece extremamente difícil de ocorrer quando se fala no chamado chão de fábrica. Aí, nesse caso, a motivação pode estar em outros fatores, não necessariamente profissionais: um churrasco no fim de semana, um prazer em família ou mesmo receber um salário que possa realizar sua satisfação mais básica.

É quando se revela o eterno dilema entre a felicidade no trabalho e em outras dimensões da vida. Percursos, motivações e metas que nem sempre estão alinhados. É o que se discutirá no próximo capítulo.

13

FELIZ NO TRABALHO, INFELIZ NO AMOR, OU VICE-VERSA

O desejo de encontrar realização no trabalho pode até ser uma ne-cessidade recente, como já destacamos, mas é um sonho antigo da humanidade buscar a alegria no que faz. O filósofo chinês Confúcio, que viveu entre os anos 551 a.C. e 479 a.C., arriscava, no seu tempo, um plano claro: "Busque um trabalho que você ame, e nunca mais terá que trabalhar um dia em sua vida". Era o que fazia o empresário e editor Roberto Civita, que perguntava a seus comandados na Editora Abril: "Você tem se divertido?". Civita não se referia às horas de lazer gozadas *fora* do trabalho, e sim aos momentos dedicados à atividade profissional. Para ele, como muitos, trabalho e diversão, trabalho e felicidade andavam juntos – ou pelo menos deveriam andar.

Para muitos outros, no entanto, são coisas bem distintas. É o que faz que sejam exceção aquelas pessoas que acordam na segunda-fei-ra de manhã e vão felizes para o trabalho. A diferença entre acordar feliz ou infeliz nesse momento depende muito de sua motivação, de seus propósitos e seus valores. "Muitos de nós não trabalhamos por dinheiro apenas", escreveu o economista indiano Raghuram Rajan, ex-economista-chefe do Fundo Monetário Internacional, no livro *Fault lines*, eleito o livro do ano pelo jornal *Financial Times* em 2010. "Alguns querem mudar o mundo; outros, criar objetos de arte que permanecerão. Alguns batalham para ganhar a fama, enquanto outros ficam contentes em fazer o bem anonimamente. Para muitas pessoas, os efeitos visíveis do trabalho são a maior recompensa".[1] Que efeitos visíveis seriam esses? Para o professor, seria testemunhar o momento eureca quando a compreensão enfim nasce em um estudante; para o médico, "a alegria incrível de salvar a vida de um paciente"; para o fazendeiro, "a visão de acres e acres de trigo dourado oscilando gentilmente com a brisa". Para todas essas pessoas, conclui Rajan, "a motivação primária é saber que o trabalho faz do mundo um lugar melhor".

Nem todo mundo pensa assim, infelizmente. Pode ser resultado de um trabalho monótono ou de uma atividade bastante distante dos seus propósitos de vida. Ou ainda de uma má compreensão do próprio propósito. Em outras palavras, quem começa o dia de trabalho com um nível de tristeza elevado precisa reinventar as razões pelas quais faz aquilo que faz. De maneira ainda mais clara: se seu propósito for ganhar dinheiro, então não sofra. Você trabalha para ganhar dinheiro e pronto – e sua felicidade estará em outras esferas da vida. Se seu propósito for reconhecimento, mesmo com um grande nível de desgaste, se sentirá feliz por fazer o que faz. Se for o sentido de realização, o seu ofício precisará ser compatível com essa busca.

Trata-se de uma equação complexa de resolver. Para agravar, muitas vezes independe da nossa vontade ou mesmo do dinamismo de nossos propósitos – como mostramos nos capítulos anteriores, o propósito pode variar ao longo do tempo. Mas o fato é que crescemos numa

---

1 Citado por Alexandre Teixeira em *Felicidade S.A.* – por que a satisfação com o trabalho é a utopia possível para o século 21. Porto Alegre: Arquipélago Editorial, 2012, p. 37.

cultura que costuma separar trabalho e diversão, trabalho e felicidade. Uma divisão no tempo e no espaço. A maioria de nós foi educada para ser infeliz no trabalho e feliz na igreja, no futebol e no amor. Vida e carreira profissional são muitas vezes classificadas como dimensões distantes uma da outra. É uma distância que nos soa estranha: é como se a carreira não fizesse parte da nossa vida, como se o trabalho não integrasse nosso cotidiano, ou como se não abarcasse grande parte do nosso tempo, das nossas preocupações, dos nossos objetivos de vida.

É recorrente a ideia de que a insatisfação no trabalho diz respeito à conciliação com a satisfação pessoal e a certeza de não realizar um esforço inútil dentro da sociedade. Esse tipo de aflição ganha maior evidência com as novas gerações, que passaram a almejar um projeto de vida que não soe como conformado – ou seja, o trabalho pelo trabalho. Diferentemente disso, sonham com um trabalho grandioso, com uma rotina que não seja monótona, com um projeto que faça a diferença. Por outro lado, é uma geração que também chega em parte com pouca disciplina e muita ambição e pressa.

Mas quantas pessoas já não ouviram – ou disseram elas mesmas – a expressão de desejo e ansiedade pela chegada da sexta-feira. Vale a máxima: a encrenca não é dizer "hoje é sexta-feira", afinal é compreensível ficar feliz com a chegada do fim de semana; o problema é aguardar com tanta intensidade e ansiedade que chegue a sexta-feira. Significa dizer que os dias de trabalho são sinônimo de sofrimento, angústia e infelicidade. Significa condenar o *happy hour* apenas às sextas-feiras, após as 18 horas, quando deixamos o trabalho.

No início da década, uma pesquisa da consultoria de recursos humanos Right Management, realizada com 5 685 trabalhadores brasileiros, obteve 48% de respostas negativas à pergunta "Você é feliz no seu trabalho atual ou na sua última ocupação?". Entre as mulheres, o índice foi de 59%. Isso num momento em que os níveis de emprego e renda se encontravam em patamares historicamente elevados. Ou seja, a crise era em relação ao propósito, e não de renda ou ocupação.

Para o filósofo britânico Alain de Botton, a felicidade no trabalho depende de três elementos preciosos e importantes: uma habilidade, um talento e um interesse, todos conectados com algo no mundo que gera dinheiro. Na maior parte do tempo, segundo ele, as coisas pelas quais realmente nos importamos não geram dinheiro. E as coisas que geram dinheiro "nos matam por dentro", não gostamos de fazê-las. Esse seria um dos problemas do capitalismo, o fato de a maior parte do dinheiro do mundo ser gerada em empresas e atividades não tão interessantes para o nosso espírito e para nossa mente.

De Botton destaca o que chama de paradoxo do sucesso material: à medida que a sociedade fica mais bem-sucedida, a expectativa das pessoas aumenta e, por isso, elas são ingratas com coisas com as quais seus pais ou seus avós ficariam muito agradecidos. "Nós somos uma espécie ingrata", escreveu no livro *Desejo de status*, publicado em 2004. "Sempre pensamos naquilo que não temos. Não se trata de não tentar conseguir mais, mas, na medida em que tentamos conseguir mais, deveríamos sempre lembrar que isso vai entregar apenas uma pequena porcentagem da felicidade que imaginamos". Conclusão do filósofo: devemos estar prontos para isso, para receber menos do que pretendemos, desejamos ou esperamos.

"Talvez seja mais fácil do que nunca ganhar a vida e mais difícil do que nunca estar tranquilo, livre da ansiedade com a carreira", disse o filósofo, em uma de suas concorridas palestras. Segundo ele, é tão improvável hoje que você fique rico como Bill Gates como era para um plebeu do século XVII chegar à aristocracia. "Em boa parte do tempo, nossas ideias sobre o que significaria viver com sucesso não são as nossas próprias", afirma ele. "Elas foram sugadas de outras pessoas (...), da televisão à publicidade."[2]

---

2 "A kinder, gentler philosophy of success", palestra de Alain de Botton apresentada em julho de 2009 no TED Talks. Disponível em: <http://www.ted.com/talks/alain_de_botton_a_kinder_gentler_philosophy_of_success>. Acesso em: 14 mar. 2014.

Mas o dilema no mundo dos excessos – de atividade, de ansiedade, de busca por prazer e de consumo – é não só colocar a felicidade como meta no trabalho, mas conseguir um equilíbrio entre as diversas dimensões da existência. Se é evidente a necessidade de nos dedicarmos à carreira, também é verdadeiro o fato de que não podemos deixar que apenas um aspecto da vida obscureça todos os demais. Convém buscar um equilíbrio entre as diversas faces da vida. E isso significa ser capaz de ir aos extremos sem se perder neles: é possível ter uma alimentação equilibrada, mas, de vez em quando, "mergulhar" numa garrafa de vinho ou se esbaldar num churrasco. Do mesmo modo, poucos suportam a possibilidade de uma existência dedicada integralmente ao trabalho.

Em alguns momentos de nossa vida, no entanto, precisaremos trabalhar doze, treze, quinze horas por dia, tendo menos tempo disponível para a família e o lazer, por exemplo. Em outros momentos será possível se dedicar mais aos filhos do que à carreira. É verdade que há o caso do executivo que já citamos aqui, que se dedicou integralmente à carreira, ainda que às custas do pouco contato com os filhos, mas se sentiu realizado e feliz desse modo. Sem arrependimentos. Mas para a maioria das pessoas a grande aspiração é não se perder nos extremos, é saber transitar entre eles, é poder ter uma vida em que a felicidade no trabalho não seja incompatível com a felicidade em outras dimensões da existência.

Como se disse, muitos futurólogos previam que a evolução tecnológica geraria ócio e qualidade de vida. Aconteceu justamente o oposto. Trabalha-se mais do que antes, com o agravante de que a tecnologia não permite que nos desliguemos do trabalho mesmo nas horas de lazer. "Não há mais um local de trabalho, porque podemos trabalhar de qualquer lugar. Não existe mais semana de trabalho ou dia de trabalho",[3] afirma Jon Kabat-Zinn, um estudioso da meditação

---

3 Citado por Alexandre Teixeira em *Felicidade S.A. – por que a satisfação com o trabalho é a utopia possível para o século 21*. Porto Alegre: Arquipélago Editorial, 2012, p. 103.

que conduz retiros para líderes empresariais, citado pelo jornalista Alexandre Teixeira no livro *Felicidade S.A.: por que a satisfação com o trabalho é a utopia possível para o século 21*. No livro, Teixeira cita um levantamento internacional segundo o qual os executivos brasileiros estão entre os mais insatisfeitos do mundo com o equilíbrio entre a vida familiar e a dedicação profissional. Na média global, concluiu o estudo, 27% dos homens e 29% das mulheres se dizem totalmente satisfeitos com o equilíbrio entre trabalho e vida pessoal. No Brasil, esses números caem para 12% e 13%.

Um exemplo é Ana Cristina, uma jovem executiva. Certo dia, ela confidenciou a um de nós: "Os homens não conseguem conviver comigo. Acham difícil porque sou uma mulher independente", disse. "Poucos homens suportam a ideia de se relacionar com uma mulher em uma posição de maior destaque do que eles". Havia uma questão fundamental para ela: o orgulho pelo status e pelos postos conquistados; a convicção de que aquilo era o resultado do que sempre desejara e lutara. Ainda que sua dedicação à vida profissional e ao crescimento de posições em sua carreira significasse abdicar de alguns de seus desejos. O desequilíbrio na vida pessoal era fonte de frustração, que se contrapunha à sensação de sucesso permanente no campo profissional. Questionada por que não ia atrás de algo tão importante, para além da dimensão da carreira, ela respondeu: "Porque agora cheguei aonde eu queria". Se havia ou não engano na sua premissa de conciliar ambos aspectos de sua vida, ela acabou tomando a decisão de postergar um deles, uma decisão legítima, mas com seus custos.

A dificuldade de ter equilíbrio entre vida pessoal e profissional é, em grande parte, resultado de uma cultura voltada para a ocupação em tempo integral, como defendeu a jornalista Brigid Schulte, no livro *Overwhelmed: Work, Love and Play When No One Has the Time* ("Sobrecarregado: trabalhe, ame e se divirta quando ninguém tem tempo"). Best-seller nos Estados Unidos, o livro discute o delicado equilíbrio entre carreira e lazer – e propõe formas de fazer as pazes com o tempo. Ela mesma disse já ter sido afetada pessoalmente pela obsessão coletiva por trabalho. Segundo a autora, o lazer se tornou um motivo de culpa e vergonha para muitas pessoas. Basta pensar no ditado "cabeça vazia é a oficina do diabo", há a sensação de que você não pode ficar sem fazer nada, com um culto à exaustão e ao trabalho excessivo – um excesso usado como uma espécie de medalha de honra.

Alcançar a felicidade no trabalho, mesmo quando à custa do sacrifício na vida pessoal, pode ser algo administrável, mas também utópico para muita gente. Porém, é preciso reconhecer que trabalhar infeliz significa um boicote contra si mesmo. Um boicote ao seu potencial, ao seu destino, à sua vida. Uma fonte de sofrimento, que resulta num prejuízo a curto, médio ou longo prazo, com efeitos sobre você e quem está ao seu redor. Como saber decidir o que é melhor para você quando se deparar com essas questões? No próximo capítulo vamos nos aprofundar mais nisso.

14

COMO INVENTAR O PRÓPRIO EMPREGO

Em *Como encontrar o trabalho da sua vida*, obra bastante citada neste livro, o autor Roman Krznaric cita o visionário economista E. F. Schumacher, que em sua obra intitulada *Good Work* descreve liricamente o "anseio por liberdade que se espalhou por toda a sociedade ocidental". Tal anseio, diz ele, abarca algumas ideias libertadoras:

"Não quero cair na rotina.

Não quero ser escravizado por máquinas, burocracias, tédio e feiura.

Não quero me tornar um imbecil, um robô, um peão.

Não quero me tornar um fragmento de pessoa.

Quero fazer o meu próprio trabalho.

Quero viver com (relativa) simplicidade.

Quero lidar com pessoas, não com máscaras.

As pessoas importam. A natureza importa. A beleza importa. A inteireza importa.

Quero ser capaz de *me importar*."

Como sublinhou Krznaric, esse manifesto poético das aspirações humanas foi escrito na década de 1970 com capacidade para ecoar no coração e na mente daqueles que, hoje, sentem-se infelizes no trabalho – em geral, por enfrentarem uma carga crônica e com dificuldade para conciliar suas atividades profissionais com as horas desejadas de dedicação à família, ao lazer ou aos hobbies individuais: "Podem apreciar diversos aspectos dos seus trabalhos, mas não gostam de receber diariamente ordens de chefes insuportáveis. (...) Falam (...) de não terem tempo suficiente para 'equilibrar trabalho e vida pessoal'. Sonham com mais tempo livre, mais autonomia, mais espaço em suas vidas para relacionamentos e para serem elas mesmas".[1]

Nem todos os profissionais, convém repetir, sofrem com esse tipo de restrição: muitos se realizam com trabalho duro e longas jornadas. Dedicam-se intensamente à carreira pelas quais são apaixonadas – e só a elas. Mas o nirvana produtivo não é um bem adquirido por todos. É possível admitir, portanto, que a essência do manifesto citado é atender ao desejo humano por maior liberdade. A resposta apresenta três dilemas, destaca o professor em *Como encontrar o trabalho da sua vida*: devemos optar pela segurança e estabilidade de um emprego assalariado ou inventar nosso próprio emprego, sendo chefes de nós mesmos? Devemos desistir da ética do trabalho duro e abandonar a meta de encontrar um emprego que nos realize profissionalmente para, em seu lugar, buscar um trabalho visando à nossa realização pessoal? Como equilibrar nossas ambições de carreira com o desejo de ter uma família, uma vez que as duas coisas podem não só gerar tensões emocionais como também criar uma enorme pressão sobre as horas limitadas de que dispomos?

Ao fazer nossas escolhas de vida, especialmente escolhas de carreira, em geral desejamos algum tipo de estabilidade, sobretudo em

---

1   Roman Krznaric em *Como encontrar o trabalho da sua vida*. Rio de Janeiro: Objetiva, 2012, p. 114.

épocas de incerteza econômica. É preciso uma renda regular para pagar as despesas básicas da vida – da escola dos filhos ao financiamento da casa. Vivemos em busca de segurança emocional e segurança material. São coisas que podemos encontrar num casamento feliz, na convivência em comunidade ou no local de trabalho – um emprego estável, com rede de amizades confiável, senso de identidade e um sentimento de valorização estão entre os atributos de uma segurança conquistada no trabalho.

Paralelamente, o ser humano é também motivado pela busca da liberdade individual. Revoltas, lutas sociais e disputas políticas foram, na história, resultado do desejo de indivíduos e grupos sociais de usufruir da liberdade. Em 1930, o pai da psicanálise, Sigmund Freud, publicou um livro monumental e tremendamente profundo: *O mal-estar na civilização*. Na obra, Freud diz que a civilização é sempre uma troca, ou seja, você dá algo de um valor para receber algo de outro valor. No seu diagnóstico, o problema daquela geração do início do século XX foi ter entregue liberdade demais em prol da segurança. Segundo o pensador polonês Zygmunt Bauman, provavelmente hoje Freud diria o inverso: ele repetiria que toda civilização é uma troca, mas teria diagnosticado que nossos problemas derivam do fato de que entregamos demais nossa segurança em prol de mais liberdade. Eis um dilema, sobre o qual Bauman conclui que continuamos diante de uma troca: ao escolher a liberdade, é preciso abrir mão de certa segurança; ao escolher a segurança, é preciso abrir mão de certa liberdade. Tal impasse, seria, na visão de Bauman, insolúvel. Sempre haverá muito de uma e muito pouco de outra. Segundo ele, segurança sem liberdade significa escravidão, e liberdade sem segurança é um verdadeiro caos.

Esse dilema é igualmente verdadeiro no mundo do trabalho. Em nome de autonomia e liberdade para tomar as próprias decisões, muitos optam por criar o próprio emprego: deixam seus trabalhos em organizações e vão atuar por conta própria – abrindo seu negócio ou trabalhando como freelancers. O sentimento de independência, no entanto, chega lado a lado com a insegurança, afinal os riscos são inevitáveis: o fim de uma remuneração fixa e previsível se soma a mais trabalho, responsabilidade e incertezas. Os adeptos do próprio emprego, ou do autoemprego ou do empreendedorismo, lembram que as crises financeiras demonstraram o quanto todos são peças dispensáveis de uma engrenagem. Em outras palavras, ninguém estaria seguro em seu emprego. Pode ser verdade, mas não deixa de parecer arriscado abrir mão de um salário regular durante uma recessão ou se estiver inseguro quanto ao sucesso de sua nova carreira independente.

"Inventar o próprio emprego pode ser uma grande aposta se estivermos correndo atrás das prestações de um financiamento ou criando um filho sozinho", escreve o professor Roman Krznaric. "Mas se nosso desejo for experienciar a realização numa carreira em sua forma mais sublime, será preciso fazer todo o possível para trabalhar de uma forma condizente com quem realmente somos, com todos os nossos defeitos e qualidades". E conclui: "Se pudermos escolher entre segurança e liberdade, eu sugiro que escolhamos a liberdade".[2]

Em visita ao Brasil em 2015, o economista Muhammad Yunus, prêmio Nobel da Paz em 2006 pela criação do "banco dos pobres" conclamou os brasileiros a saírem de suas zonas de conforto para buscar soluções criativas contra a miséria e também para criar postos de trabalho numa economia em crise. Para ele, é importante ter em mente não apenas a possibilidade de procurar trabalho, mas a de criar

---

2   Roman Krznaric em *Como encontrar o trabalho da sua vida*. Rio de Janeiro: Objetiva, 2012, p. 122.

oportunidades. "Crie seu próprio mundo. Assim chegaremos a zero de desemprego", disse o economista de Bangladesh.[3]

É preciso cautela com tais posicionamentos. A vocação empreendedora e a disposição para enfrentar riscos adicionais não são características universais. Fazer escolhas do gênero significa não só atender a uma vontade, mas identificar, reconhecer e enfatizar atributos muito próprios – será de grande valia, portanto, ajuda externa para conseguir enxergar tais características em você. Ao mesmo tempo há alguns mitos em torno de uma suposta audácia como marca do empreendedor. O senso comum diria que o empreendedor de sucesso ousa correr riscos, assume posturas audaciosas e não hesita diante de dificuldades. Isso pode ser verdadeiro em muitos casos, mas nem sempre. Um estudo da Universidade da Califórnia em Berkeley, realizado em 2015, mostrou que, embora iniciar um negócio sempre inclua uma margem de risco, os pesquisadores constataram que os empreendedores muitas vezes se dão bem justamente pelo medo de perder aquilo de que abriram mão (como um emprego sólido em uma grande corporação), desenvolvendo aversão a perdas e não o culto ao risco. A ameaça de perder ganhos de salário e posições de prestígio profissional fazem os candidatos a empreendedores se dedicarem com muito mais afinco à nova atividade. Segundo os autores da pesquisa, os professores John Morgan e Dana Sisak, os novos empreendedores se mostram mais preocupados em evitar perdas do que em obter mais ganhos.

A revista *Business Strategy Review*, da London Business School, elaborou uma lista de oito verdades sobre o empreendedorismo que podem não ser aplicáveis 100% para todo empreendedor, mas servem de balizas para desfazer alguns mitos. São eles:

---

3 "'Não chore por estar desempregado, crie seu emprego', diz Nobel da Paz". *Folha de S. Paulo*. Disponível em: <http://www1.folha.uol.com.br/empreendedorsocial/2015/05/1624427-nao-chore-por-estar-desempregado-crie-seu-emprego-diz-nobel-da-paz.shtml>. Acesso em: 15 mar. 2017.

1. Nem todo mundo que se diz empreendedor de fato é: não basta atuar como um; é preciso ter o empreendedorismo no sangue. "Empreendedor é algo que se é, não algo que se faz."

2. Os empreendedores são atraídos por negócios que funcionam, não escravos de uma ideia: pragmatismo e determinação se combinam nessas pessoas. Muitas pessoas têm boas ideias, mas os empreendedores são os que têm capacidade de torná-las realidade. Ou então adotar sem problemas o plano B, se houver nele maior chance de sucesso.

3. Mostram ambição em sua forma pura: não se trata de ambição de ficar rico, mas de mudar o mundo ou sacudir o mercado.

4. Empreendedores resolvem problemas: são aquelas pessoas que, quando o carro quebra no meio de uma estrada deserta, tentam consertar em vez de sentar e chorar. Encontrar uma oportunidade de negócio é como achar uma equação para solucionar.

5. Não se detêm diante dos próprios limites e deficiências: quando alguém se torna empreendedor, aprende rapidamente o que sabe e o que não sabe fazer. O jeito é desenvolver novas habilidades.

6. Chamam outras pessoas para preencher as lacunas: os verdadeiros empreendedores não têm medo de pedir e possuem habilidade para isso. Têm arrojo e constroem redes de contatos úteis.

7. Têm opiniões firmes, mas não são egocêntricos: empreendedores gostam de expressar suas opiniões e são adeptos da simplificação, não da complicação – o que lhes dá grande poder de convencimento. Mas, como toda boa companhia, também sabem ouvir e levar em consideração as ideias alheias.

8. Empreendedores não conseguem consertar o mundo sozinhos: a habilidade de fazer um negócio ganhar escala não costuma ser o ponto forte dos empreendedores. A gestão de pessoas, em especial, costuma ser um pesadelo para eles. São coisas minuciosas e sinuosas

demais para quem quer mudar o mundo. É preciso pedir ajuda de quem sabe lidar com isso.

Empreender requer talentos específicos para tal, como o apetite para correr riscos, capacidade de lidar com a incerteza e observar diferentes cenários, a resiliência. Um exemplo interessante é de um profissional que havia trabalhado em um grande banco brasileiro e, depois de uma transição de carreira, decidiu montar um pequeno restaurante em São Paulo, um antigo sonho que tinha. Porém o sonho na prática não condizia com a realidade imaginada por ele, e estava infeliz. Depois de dois anos com o restaurante, resolveu mudar de vida. Refletiu sobre seu futuro e não se enxergou fazendo o que fazia naquele momento: cozinhar e servir almoços executivos. Como sua formação acadêmica era mediana, pensou: "Quero fazer um MBA". Pôs na cabeça que faria sua pós-graduação. Vendeu tudo o que tinha, fez o *application* para as principais universidades que tinha interesse e se mudou para os Estados Unidos com a missão traçada e conquistada: estudar no MIT, o prestigiado Instituto de Tecnologia de Massachusetts. Estudou, se formou e foi convidado a trabalhar como executivo num grande banco europeu de investimentos. Ganhou dinheiro, voltou ao Brasil e saiu de novo da vida executiva. Comprou uma fábrica quase falida de plásticos e, alguns anos depois, vendeu-a para um importante grupo empresarial. Ganhou mais dinheiro. E assim seguiu com empreendimento atrás de empreendimento. Um talento nato e em mudança constante.

Nem todos são assim. Em muitos casos, o risco é desejar embarcar no empreendedorismo para fugir de um trabalho gerador de infelicidade. Profissionais que veem o empreendedorismo como solução para o próprio fracasso na vida corporativa ou para buscar um próprio negócio com a ilusão de que passará a trabalhar menos. Às vezes isso significa apenas ir mais rápido para o precipício.

Por essa razão, em muitos casos, inventar o próprio emprego não significa se ver livre do seu emprego, mas ser livre e independente *dentro* do seu emprego. Isso mesmo: oportunidades extras têm surgido pelo fato de grandes organizações estarem transferindo parte do seu trabalho para freelancers. A internet e as tecnologias em geral ajudaram a revolucionar as possibilidades dos empregos customizados ou modelos não tradicionais de vínculos de trabalho. As estruturas internas também começam a sofrer mudanças em algumas áreas: pode não ser um pensamento utópico imaginar que, num futuro próximo, em vez de alocar seus funcionários em departamentos especializados, as empresas do futuro irão organizá-los por projetos, em equipes multidisciplinares. Esses grupos serão criados e depois desfeitos de acordo com a necessidade de cada empreitada. Vão durar o prazo que for necessário, e quem ditará as prioridades e supervisionará a execução das tarefas será o líder do projeto – e não mais o tradicional chefe do departamento. As hierarquias poderão ser mais flexíveis, e a subordinação se dará por influência, não por cargos.

Em muitas empresas, essa já é uma realidade. Uma reportagem da revista *Época Negócios*, de março de 2012, já apontava, naquele ano, algumas organizações funcionando sob novos modelos. Na ArcelorMittal Monlevade, em Minas Gerais, e nas fábricas da Elma Chips em São Paulo, no Paraná, em Pernambuco e Minas Gerais, os operários assumiram responsabilidades típicas de cargos de chefia que nem existem mais. Nos últimos anos, o número de níveis hierárquicos na usina siderúrgica de Monlevade havia caído pela metade depois de um processo de capacitação técnica e educacional dos operadores.

Entre outras tendências já vigentes está o conceito de *anywhere office*: não importa onde você trabalha, o que importa é o que você entrega. Ou os espaços de trabalho compartilhados, os chamados *coworkings*, que se disseminaram de vez na última década. Ou ainda as políticas de horário flexível, com metas focadas no resultado e não em horas de trabalho. São mudanças em curso que reforçam a ideia de um momento de transição no mundo do trabalho – e como todo processo de mudança, significa mais incerteza, tensão, dúvidas e insegurança sobre os profissionais. "As formas rígidas de burocracia estão sob ataque", escreve o sociólogo Richard Sennett, no livro *The Corrosion of Character*. "Pede-se aos trabalhadores que sejam ágeis, abertos a mudanças de última hora, que aceitem riscos continuamente, que se tornem cada vez menos dependentes de regulamentos e procedimentos formais."[4] Parece bom, mas há efeitos colaterais: a eliminação da divisa entre trabalho e lazer, como já destacamos, é um deles.

---

4 Citado por Alexandre Teixeira em *Felicidade S.A.* – por que a sastisfação com o trabalho é a utopia possivel para o século 21. Porto Alegre: Arquipélago Editorial, 2012, p. 207.

PARTE 4

O FUTURO

15

FAZENDO DAR CERTO

Agosto de 2014, dia 13. Era mesmo para ser um dia agourento. Claudia Giudice ocupava o cargo de diretora superintendente na Editora Abril, então líder do país em circulação de revistas, quando recebeu a notícia que fez o mundo desabar sobre sua cabeça: estava demitida, integrando um conjunto grande de cortes do processo de reestruturação da empresa. Na época, ela era responsável por nada menos que quarenta títulos. Encerrava-se ali uma longa trajetória que a levou ao mais alto escalão. Foram 23 anos de Abril: do curso de treinamento, passou a repórter, editora assistente, editora, editora-chefe, diretora de redação e *publisher*. Percorreu, portanto, todas as escalas que a carreira de uma jornalista poderia comportar dentro de uma grande editora de revistas.

Num primeiro momento, a demissão a desestabilizou. Um bom salário, um cargo importante, uma empresa líder em seu segmento, a carreira construída por tanto tempo e tanta dedicação em um só lugar. E, acima de tudo, uma relação de longa data que havia transformado a própria identidade. Interrompê-la significava muito. Significava a dor de perder algo, o baque na autoestima por ter sido rejeitada, o sofrimento por arrancarem seu crachá. Claudia se viu diante da necessidade de antecipar, de maneira brusca, um plano futuro – aposentar-se aos 55 anos e mudar-se para a Bahia. Sua ampulheta do tempo, porém, quebrou-se antes da hora. Duas semanas antes, enquanto participava de um evento, ela havia feito, de maneira premonitória, um cálculo diante da pergunta: "O que faço se perder o emprego?". E, pelas suas contas, observando custos fixos, receitas e projetos de desejo, ia faltar dinheiro caso isso ocorresse.

O que antes era uma reflexão hipotética acabou ocorrendo de fato. E, ao se ver diante daquela situação, Claudia Giudice poderia descer ladeira abaixo numa espiral de sofrimento, com a sensação de ser vítima da demissão. E a primeira reação foi essa mesma, sentindo a dor da demissão – como ela escreveria mais tarde, junto com o crachá, arrancaram-lhe a pele: "Estava em carne viva. Doía, latejava, ardia". Ela não sucumbiu. Não se sentiu vítima de um fator externo ou de um eventual erro seu. Em abril do ano seguinte, ela entregaria os originais do seu livro A *vida sem crachá* ao grupo Ediouro. O livro foi lançado no segundo semestre de 2015, e nele Claudia usa sua história pessoal para tratar de um tema que atinge, universalmente, profissionais de todas as áreas: como recomeçar.

O risco de se sentir uma vítima pode afetar pessoas que, como Claudia, foram demitidas. Ou também quem está prestes a se aposentar e se apavora com essa ideia. Ou ainda quem tem sofrido no emprego ou se considera infeliz em sua carreira e reflete sobre uma eventual mudança de vida. Mudanças, como vimos, implicam muitos riscos – e a tendência do ser humano é fugir disso, da transformação, do medo. Somos inerciais por natureza. A essa condição se somam outros fatores, como a preocupação com crises econômicas e com a estabilidade do emprego; a lembrança de que você não é um herdeiro ou um ganhador da Mega-Sena e precisa ralar todos os dias para pagar as contas e realizar seus desejos; a insatisfação com a empresa na qual trabalha, com seu chefe ou com o ambiente em que vive e pensar em largar tudo e partir para outra coisa, mas vê um mundo de responsabilidade à sua frente.

Em todos esses casos, o pior caminho a seguir é se sentir vítima da própria vida. Tal equívoco leva a uma dificuldade ainda maior para romper o estado de inércia, superar a insatisfação do momento ou simplesmente trabalhar para continuar a ser feliz em sua atividade profissional e nas outras esferas da vida, como família, lazer, ganhos materiais ou subjetivos. Vitimar-se é também pôr a culpa no governo, no chefe imediato, no patrão, na crise econômica, na família, em qualquer outra coisa que não seja em você mesmo.

É preciso fazer dar certo. E, para isso, exige-se ação e coragem, preparo e autoconhecimento para saber o que se deseja e aonde se espera chegar. E o ideal é fazer isso sem ter como motivação um acontecimento doloroso, como o de Claudia. Se ele ocorrer, pode-se – e deve-se – passar pelo luto. Sofrer, chorar. Mas não se deixar consumir pelo sofrimento mais tempo do que o necessário. Deve-se levantar a cabeça, reencarar o mundo dos vivos e planejar os próximos passos.

Nossa experiência mostra que, se não motivados por um coaching ou por alguma forma de ajuda externa, dificilmente os profissionais encaram a reflexão necessária para agir. Se não é o caso de uma crise aguda, como uma demissão, mas de um estado constante de infelicidade no trabalho ou pequenos reveses cotidianos que minam a sua energia, sua autoestima e sua capacidade de se reinventar, a tarefa se torna ainda mais complexa. Afinal, não se está diante de uma crise para a qual é preciso ter respostas. Pode-se "ir levando", à espera de uma solução divina ou do acaso ou da sorte para surgir algo melhor. Esse é um comportamento bastante comum em profissionais que se veem infelizes com a carreira ou com um trabalho em particular. O resultado: lamentos, lamúrias e incômodos permanentes. Mais medos e riscos impostos não somente à área profissional, mas também a todas as esferas de sua vida.

A pausa para refletir sobre o presente e o futuro, em geral, ocorre em momentos-chave: a formatura, os 40 anos recém-completados ou a aposentadoria iminente. Pode-se ter um *insight* num momento de mudança impulsionado pelo próprio tempo, mas dificilmente o protagonismo adquire forma consistente sem o profissional se encontrar diante de uma crise mais séria. É verdade que momentos de crise costumam ser interpretados como janelas de oportunidade para a mudança – e são mesmo. "Uma crise é uma coisa terrível demais para ser desperdiçada", escreveu o consultor Dave Ulrich no livro *The Why of Work*. "Felizmente, quando as crises nos param em nossas trilhas, elas podem também nos fazer parar e pensar, e pensar pode ser o início do processo de criar sentido no trabalho e em todo o restante."[1]

Liev Tolstói, o escritor russo de clássicos inesquecíveis como *Guerra e paz* e *Anna Kariênina*, nos faz lembrar também que, uma vez jogados para fora de nossos rumos habituais, temos uma tendência a pensar que tudo está perdido; mas é somente aí que o novo e o bom, de fato, começam.

Com ou sem crise, é fundamental o processo de autoconhecimento, tema já sublinhado em capítulos anteriores. O autoconhecimento é essencial para que você consiga romper a paralisia natural e possa "fazer dar certo". É especialmente relevante como forma de notar os próprios sentimentos e sensações em relação às coisas que acontecem dentro de você naquele momento. Aí se pode ajustar as reações e tomar melhor as rédeas do próprio destino. É como se tivéssemos uma garantia de que não estamos apenas passando pela vida, sem capacidade e poder de decisão. Na trajetória profissional, quanto mais você avançar por uma estrada que não é a sua, mais se afastará de si mesmo. Nesse cenário desolador, mais errática será a sua carreira. Nenhum fracasso será maior do que não fazer aquilo que você *tem* de fazer. E

---

1 Dave Ulrich e Wendy Ulrich em *The Why of Work: How Great Leaders Build Abundant Organizations That Win*. McGraw-Hill Education, 2010.

o contrário também é verdadeiro: quando você está fazendo algo que nada tem a ver com você, mesmo se der certo, já deu errado.

Além de ser fundamental para a compreensão do presente, o autoconhecimento é também importante como meio de entender o que aconteceu no passado. Para tanto, uma dica preciosa é escrever num papel a sua trajetória: contar a própria história até aqui. Escrever costuma ser um bom caminho para colocar as ideias em ordem e notar fatos e momentos que, sem serem observados no papel, não seriam percebidos. Karl Weick – teórico organizacional norte-americano que introduziu os conceitos *mindfulness* e *sensemaking* em estudos organizacionais – cita em seu trabalho uma frase lapidar do escritor inglês E. M. Forster que justifica essa prática de autorreflexão: "Como posso saber o que penso até que eu veja o que eu disse?".[2] Weick defendeu a comunicação intrapessoal, os monólogos e a autocomunicação como formas de gerar efeitos nas reações – dos outros e nossas. Citando um filósofo do início do século XX, George Herbert Mead, também nascido nos Estados Unidos, Weick lembrou que, "ao escutar a nós mesmos, ouvimos as vozes dos outros".

A partir desse relato da narrativa da sua história, é possível fazer uma reflexão sobre o que deu certo e o que deu errado, o que funcionou e o que não funcionou em sua vida – em todas as esferas, e não apenas na profissional (afinal, como já sublinhado neste livro, todas as dimensões da vida se entrelaçam, impactam e são impactadas umas pelas outras). Analisando o que aconteceu, pode-se chegar a uma ideia mais clara do que se deve fazer, dos déficits de aprendizado em sua trajetória e do que aprender a partir dali, além dos contatos que pode acionar para dar impulso à sua carreira etc. Também é interessante escrever o que deseja fazer no futuro imediato e no de longo prazo.

Observando a própria trajetória, um certo executivo, acompanhado por um dos autores, constatou algo incômodo: depois de um

---

2 E. M. Forster em *Aspects of the Novel* (1927).

sucesso inicial na carreira, com um bom posicionamento na empresa da qual fazia parte, esse profissional colecionou uma série de reveses, pequenos baques e travas que passou a considerar fracassos. Somente vendo no papel o que ocorrera por meio de uma descrição detalhada desses contratempos e com a ajuda de um interlocutor, ele pôde perceber o que não lhe parecia óbvio até ali: a experiência acumulada lhe dera uma maturidade singular para encarar um novo desafio. Ele pôde, então, agir, escapar da autovitimização, mesmo sem ter uma crise aguda à frente, e dar o passo necessário para a mudança.

A paralisia é inimiga da realização dos propósitos. Tentar algo novo, por outro lado, costuma ser um caminho mais difícil do que se apegar à condição de vítima do que acontece em nossa vida. Parece lugar-comum, mas não é: o novo pode ser o resgate de sonhos arquivados na sua alma e passíveis de serem realizados. Mas ele não chega de graça. Não cai do céu. Não brota de uma inspiração divina. Fazer dar certo dá trabalho.

16

A AMPLIAÇÃO DE REPERTÓRIO EM BUSCA DE NOVOS CONHECIMENTOS

Em agosto de 2016, Michael Simmons, cofundador da Empact, plataforma para empreendedores, analisou histórias pessoais de grandes líderes e executivos como Oprah Winfrey, Bill Gates, Warren Buffett, Elon Musk e Mark Zuckerberg. "Percebi um padrão na rotina de todos eles", escreveu Simmons. "Reservam uma hora por dia (ou cinco horas semanais) durante toda a carreira, para fazer atividades que podem ser classificadas como práticas de aprendizado".[1] É o que o empresário define como a "regra das cinco horas". Algumas dessas práticas podem ser resumidas em três tópicos, segundo ele: leitura, reflexão e experimentos. São tarefas que não envolvem diretamente o trabalho delas, levando à melhora em algum tipo de

---

1 Michael Simmons: "Bill Gates, Warren Buffett, and Oprah Winfrey All Use the 5-Hour Rule". Disponível em: <http://www.inc.com/empact/bill-gates-warren-buffett-and-oprah-all-use-the-5-hour-rule.html>. Acesso em: 14 mar. 2017.

habilidade, com impacto direto (ou indireto, conforme o entendimento) sobre suas atividades profissionais.

Já sublinhamos neste livro nossa rejeição a modelos prontos ou fórmulas fáceis para a obtenção do sucesso – e este, convém repetir, está longe de ter uma definição só; há fatores objetivos e subjetivos para identificar um sucesso; e cada um tem o seu padrão para ele e, consequentemente, os alvos para onde miram. Mas a dedicação ao aprendizado nos exemplos citados por Simmons serve de ilustração para o essencial na vida contemporânea: a ampliação do repertório como forma de crescimento. Ou seja, mesmo pessoas extremamente ocupadas não devem deixar de lado a prática de reservar algumas horas por semana para fazer algo aleatório com o objetivo de aprender.

A expansão de repertório não significa, portanto, direcionar o aprendizado exclusivamente à sua área-fim. Não se pode – ou não se deve – confundi-la com "trabalho", pensando em mais produtividade e mais eficiência na atividade que exerce. Significa, isso sim, conhecer áreas, informações, pessoas e ideias que não fazem parte do cotidiano. São cada vez mais comuns profissionais estudando áreas distintas – um médico fazer um curso de arte, um engenheiro estudar filosofia, um publicitário mergulhar no mundo da computação e da tecnologia. Ou então pessoas de segmentos distintos de conhecimento e profissão passarem a se relacionar (no passado, mais do que hoje, era mais frequente o envolvimento entre áreas afins).

Essas práticas de aprendizado equivalem ao estudo do chamado algoritmo genético. Trata-se de uma técnica bastante usada em tecnologia, destinada a encontrar soluções genéticas para a evolução humana. Se existe uma linha da vida, pontuada pela hereditariedade ou por uma existência em *clusters*, ou em grupos mais ou menos similares, também há a possibilidade de mutações e recombinações. Essa é uma verdade clássica da biologia evolutiva. Os algoritmos genéticos são implementados como uma simulação de computador, buscando soluções melhores para a vida humana – e essas simulações,

A AMPLIAÇÃO DE REPERTÓRIO EM BUSCA DE NOVOS CONHECIMENTOS   131

todas abstratas, inserem possibilidades externas ao indivíduo e aos seus *clusters*. Para ficar mais claro: a inserção de provocações capazes de interferir na linha da vida e ampliar o seu repertório. Mais conhecimento, interações, *insights* e possibilidades fora do curso linear de existência.

O resultado é a descoberta de novos interesses, situados fora do ciclo do qual você faz parte, passando, consequentemente, a enxergar elementos que teoricamente nem sabia da existência. Em síntese, criam-se novas aptidões. Convém lembrar o exemplo, já citado, do empresário Ricardo Semler, do grupo Semco, famoso ao publicar, em 1988, o livro *Virando a própria mesa*. Semler não atacou somente os métodos tradicionais no sistema de gestão de horários e organogramas definidos, mas passou a se dedicar a múltiplas áreas – no caso dele, áreas que lhe davam tanto prazer quanto sua atividade original, como educação, botânica, medicina, texturas de chocolate e música.

A ampliação de repertório também pode se dar na formação e na extensão de seu *networking* – elemento fundamental para profissionais de qualquer área. De *networking* todos já ouviram falar em algum momento na carreira: nada mais é do que a construção de redes de relacionamento. Mas executá-la bem não é tarefa tão simples quanto reconhecer sua definição e sua importância. Os especialistas no assunto lembram que as redes permitem satisfazer duas necessidades básicas e concorrentes que as pessoas têm nas suas relações: a de proteção e de segurança em oposição à de habilidades e de informações. As chamadas redes fechadas, nas quais a maior parte das pessoas se conhece, contribuem para que haja um clima de confiança, proteção e segurança. As redes abertas, em que poucas pessoas mantêm contato umas com as outras, contribuem para a aquisição de habilidades e de informações que podem resultar em sua independência.

A expansão das redes sociais consagrou o *networking*. Mas há quem defenda a elevação ainda maior do patamar desses relacionamentos. Alguns anos atrás, a colunista do jornal *The New York Times*

Alina Tugend pegou emprestado um termo de Malcolm Gladwell, do livro *O ponto da virada*, para defender a ideia de que devemos nos tornar "conectores". Gladwell, um jornalista britânico que escreve para a revista *The New Yorker*, definiu conectores como pessoas com uma incrível capacidade de fazer amigos e se relacionar, que se movem sem dificuldade por mundos, subculturas e nichos diferentes. Isso nada tem a ver com *networking* (um meio para alguns fins), escreveu Alina. Ser um conector é usar essa capacidade na ajuda mútua entre as pessoas. A vontade de encontrar desconhecidos é crucial na arte de se conectar, defendeu a colunista. Porque normalmente as pessoas gostam de se reunir com seus amigos em eventos ou restaurantes. É mais difícil, porém mais gratificante, sentar-se com quem você não conhece. Se você sente medo ou constrangimento por estar cercado de estranhos, não saia do local: reconheça e administre esse sentimento. Uma das principais características do conector é ajudar e relacionar--se sem expectativa de retribuição imediata, o que significa sempre pensar a longo prazo.

Conectores ou não, a ampliação de repertório exige abrir-se a um conhecimento externo e a pessoas fora do seu círculo habitual, mas também requer um trabalho profundo de introspecção. São movimentos duplos e aparentemente paradoxais, mas que levam ao crescimento em nível pessoal e profissional. Se as redes lhe abrem novo repertório de conhecimento, a introspecção, como vimos, ajuda a identificar seus desejos, propósitos e fatores de satisfação objetivos e subjetivos. São perguntas já abordadas: o que me frustra? O que me fascina? Quais são os meus ativos? O que eu realmente quero? Quais são os meus limites? Os dois movimentos ajudam a unir o que há de aleatório e o que há de autoconhecimento no processo de desenvolvimento individual.

Essa combinação virtuosa pode ajudar você a encarar melhor suas inquietações, a aplacar a insegurança diante do desconhecido e a lidar melhor com o sentimento de desconforto. Sobretudo para quem deseja fugir da pseudofantasia da zona de conforto e das ilusões de uma

A AMPLIAÇÃO DE REPERTÓRIO EM BUSCA DE NOVOS CONHECIMENTOS 133

vida sem risco. Em 2014, o ator norte-americano Willem Dafoe esteve com o dançarino russo Mikhail Baryshnikov no Brasil para estrear aqui o espetáculo *A velha*, sob direção de Bob Wilson – considerado um dos maiores nomes da vanguarda teatral.

À certa altura de uma entrevista coletiva, perguntaram a Dafoe como ele lidava com o diretor, conhecido por deixar desconfortáveis seus encenadores. (por exemplo, Bob Wilson apresentou aos atores uma arquitetura de texto, no qual os personagens eram designados como A e B, sem determinar quem os interpretaria). No que Dafoe afirmou: "Me sinto desconfortável quando estou confortável". Em outras palavras, o ator via naquele processo uma válvula de criatividade – o desconforto e a inquietação fazem parte da sua forma de lidar com o trabalho, em particular, e com a vida, em geral.

Isso está longe de ser uma regra. Ao contrário, profissionais como Willem Dafoe são exceção. A maioria prefere o conforto, a estabilidade, a segurança e a rotina. Mais uma vez, não há fórmulas prontas nem trilhas precisas e definidas previamente a seguir. Por isso mesmo é tão importante a introspecção para entender a si mesmo, de um lado, e estar aberto a conhecer algo mais, que esteja fora da sua caixinha de proteção e segurança. Nosso percurso até aqui mostrou que "como me conheço e sou conhecido" (autoconhecimento e identidade) são tão relevantes quanto o "para onde vou" (propósito e motivação).

Para muitos, essa mencionada caixinha de proteção pode até significar a eliminação dos riscos, mas quase sempre resulta em acomodação excessiva – o inimigo número um de quem deseja recomeçar.

Acreditamos que ampliar o repertório é aproximar os limites entre as fronteiras que separam o conhecimento, as experiências e as vivências (coletivas e individuais), e desenvolver as conexões entre elas, trazendo consequentemente maiores chances de você realizar seu propósito de vida. E, assim, estar mais apto para tornar os seus sonhos realidade, uma ambição sobre a qual nos debruçaremos no próximo capítulo.

UM SONHO PODE VIRAR REALIDADE

Foi tema de reportagem na revista *Época Negócios*[1] em junho de 2016 uma vila no norte do Piauí chamada Cocal dos Alves, situada no Estado mais pobre da Federação, entre os trinta municípios com o pior Índice de Desenvolvimento Humano (IDH) e onde nove entre dez pessoas fazem parte do programa Bolsa Família e metade é analfabeta. Nesse mesmo lugar, em que vivem aproximadamente 6 mil pessoas, encontra-se uma escola que tem protagonizado uma verdadeira revolução, capaz de abrir um horizonte menos sombrio para as futuras gerações do município: a Escola Estadual Augustinho Brandão. Trata-se da escola pública com o maior número de distinções na Olimpíada Brasileira de Matemática das Escolas Públicas (Obmep), uma competição nacional realizada desde 2005. Até o fim do primeiro semestre de 2016, foram mais de 230 premiações, incluindo 17 medalhas de ouro, 26 de prata, 69 de bronze e 120 menções honrosas.

---

1 "A revolução da educação no interior do Piauí". Disponível em: <http://epocanegocios.globo.com/noticia/2016/04/revolucao-possivel.html>. Acesso em: 15 mar. 2017.

Seus feitos, porém, não se restringem à matemática. Os alunos dessa escola de Cocal dos Alves têm registrado médias elevadas no Exame Nacional do Ensino Médio (Enem) e ingressado em massa nas universidades do Piauí. A escola exibe hoje uma taxa de aprovação no vestibular entre 70% e 80% (em 2010 chegaram a alcançar os 100%). Um desses alunos, por exemplo, mudou-se para o Rio de Janeiro, onde faz doutorado no prestigiado Instituto de Matemática Pura e Aplicada (Impa). O mais importante nem chega a ser esses números, mas a convicção de que, com tais evidências, esses novos universitários do Piauí, invariavelmente filhos de pais iletrados, darão um salto histórico rumo a um futuro mais promissor do que as gerações que os antecederam.

A revolução se deve precisamente a dois professores – Antônio Cardoso do Amaral, de 36 anos, e Aurilene Vieira de Brito, de 33. Amaral leciona matemática; Aurilene é a diretora. O brilhante matemático e a gestora linha-dura contaram as origens do trabalho que fizeram o Augustinho Brandão ser o que é. Em 2002, a escola funcionava em duas salinhas, sem carteiras. Os alunos se sentavam no chão ou no beiral das janelas. O transporte era feito por uma picape com a traseira aberta, movida a botijão de gás – razão pela qual as crianças chegavam ao colégio com a pele e as roupas avermelhadas, cobertas pela piçarra que ligava o pequeno vilarejo às zonas rurais. Foi naquele ano que fixaram a proposta pedagógica e a visão de futuro daquela turma. Algum tempo e muitas discussões depois, o efeito foi multiplicador: a fama de vencedores estimulou escolas em outros municípios, como Piripiri, Lagoa Alegre, Cocal de Telha e Capitão de Campos.

O que as crianças desses municípios farão quando decidirem sobre suas carreiras ainda é difícil precisar. Mas essa história serve para ilustrar uma evidência: sonhos são realizáveis. Podem parecer ambiciosos demais para a realidade que nos cerca, mas são possíveis, caso se ponham em prática ações destinadas a realizá-los. Com ambição, planejamento, visão de futuro e, claro, muito suor.

Mas também é verdade que nem sempre sonhos colossais dão certo, como já declarou um dos experts em grandes sonhos bem-sucedidos, o empresário Jorge Paulo Lemann. "O sonho vai naquela direção que você julga correta, mas às vezes não dá ou precisa andar para trás", contou ele, quando questionado sobre quais lições gostaria de ter aprendido antes de empreender. Lemann citou o exemplo do Banco Garantia, que fundou e onde passou 27 anos de sua carreira. Olhando para trás, ele lamentou ter demorado para desenvolver uma visão de longo prazo naquela época. "Pensei que fosse uma instituição permanente, mas não era", admitiu. "A prova de um empreendedor não é se ele está ganhando muito dinheiro naquele momento, mas se o negócio vai sobreviver muitos anos. O banco acabou, deixou legados importantes, mas poderia ter sido melhor." Mas Lemann ressaltou algo fundamental: "Não sei viver sem sonhos grandes".[2] Essa expressão recorrente dele levou a um livro que se tornou best-seller: *Sonho grande*, da jornalista Cristiane Correa, sobre o império construído por Lemann, Marcel Telles e Beto Sicupira.

Se é verdade que nem sempre o sonho grande se realiza – embora todo fracasso ou sonho incompleto contenham fundos inestimáveis de aprendizado para o futuro –, também é verdade que cada um tem sonhos de tamanhos, ambições e dificuldades distintos. Não é preciso sonhar como Jorge Paulo Lemann, muito menos sonhar *ser* um empreendedor como ele, ou Warren Buffett, Steve Jobs ou Mark Zuckerberg. Na trilha percorrida até aqui, vimos o quanto os projetos, propósitos, motivações, desejos e concepções de sucesso estão longe de serem apropriações universais. Ao contrário, são individuais, adaptados a cada um. Tentar replicar sonhos e modelos dos outros é o primeiro passo para a frustração.

Vimos que profissionais podem ter propósitos distintos ou que vão mudando ao longo de suas vidas: uma carreira profissional

---

2 Para as citações de Jorge Paulo Lemann: "O que Lemann queria ter aprendido antes na sua carreira". *Exame*. Disponível em: <http://exame.abril.com.br/carreira/o-que-lemann-queria-ter-aprendido-antes-na-sua-carreira>. Acesso em: 14 mar. 2017.

bem-sucedida e uma vida que vale a pena ser vivida podem ter significados diferentes, independente de gênero, classe social ou local em que se encontra. Realizar algo significativo para si mesmo, obter status, fazer a diferença na sociedade, ganhar dinheiro, seguir suas paixões e cultivar seus talentos são alguns dos variados sentidos que colocamos sobre nosso trabalho. Citá-los em profusão é uma forma de mostrar que o sucesso está longe de restringir-se ao dinheiro – eis uma das mais falsas ilusões difundidas no mundo capitalista ocidental.

Especialmente quando o assunto são os nossos sonhos, é fundamental a compreensão do quanto precisamos ser protagonistas de nossa própria vida. Vale a máxima, já ressaltada neste livro: a vida que levo é a vida escrita por mim, não pelo destino ou pela sorte. Ser o protagonista de sua vida é rejeitar a ideia de colocar a felicidade em fatores externos – costumamos buscar responsabilidade ou culpa em tudo, do governo ao patrão, da família ao azar, menos em nós mesmos. É curioso que tenhamos uma vida repleta de sonhos – sonhamos em ter sucesso na profissão, encontrar um amor, garantir um futuro melhor para os filhos, viver bem financeiramente, viajar, engajar-nos em uma causa social, ter saúde, cultivar amizades. Mas mesmo sonhando todos esses sonhos, nos entregamos à rotina e nos rendemos aos obstáculos. A capacidade de sonhar precisa andar lado a lado de ações objetivas para realizar seus projetos. Sonho desprovido de realidade tende a naufragar. Seja a mudança que você deseja ver no mundo, disse o líder indiano Mahatma Gandhi, mostrando que pensar em sonhos – grandiosos ou não – requer também ações individuais. Assim como sair da zona de conforto exige determinação, escolhas, planejamento e, claro, apoio familiar. Para mergulhar num novo negócio, por exemplo, é preciso ter o amparo e a compreensão de seu cônjuge. Já deparamos algumas vezes com profissionais que, com dinheiro na mão e muita vontade na cabeça, resolveram se embrenhar na invenção do próprio emprego. Poucos constataram antecipadamente o óbvio: o salário alto do passado fica para trás, muitas vezes a poupança familiar é canalizada para o negócio, e será preciso fazer escolhas no futuro próximo. Em alguns casos, o cônjuge percebe adiante que não é capaz de "bancar" as dificuldades decorrentes dessa escolha. Obter resultados leva tempo e, não raro, conflitos entre o casal começam a surgir, imergindo numa espiral negativa – pessoal e profissional.

Essa é uma das razões pelas quais muitas vezes os sonhos se mantêm onde estão: cadastrados na pasta dos sonhos. Por isso voltamos à abordagem tratada no capítulo dos propósitos – gaste tempo, faça muitas versões, divida com o homem ou a mulher com quem vive e com as pessoas em quem confia. Depois vem o passo seguinte: conquistar as metas definidas. Isso se faz não sem uma dose significativa de esforço, disciplina e aceitação dos resultados das escolhas, incluindo sacrifícios decorrentes do que você decidir. Toda escolha, convém repetir, implica ganhos e perdas, bônus e ônus. A dificuldade, aquilo que os franceses chamam de *goût de l'effort* (gosto do esforço), é algo extremamente importante para transformar sonhos em realidade.

Infelizmente, a cultura enraizada entre os brasileiros vem mudando – por meio de uma formação e um processo educacional equivocados, muitas crianças foram estimuladas a fugir do gosto do esforço. Querem aprender a tocar violão, mas na primeira pestana largam o curso. Começam as aulas de balé, mas quando dói o pé, desistem. Desejam falar inglês com fluência, mas não levam em conta a imensa necessidade de estudo e prática. Resultado: um grande currículo de impossibilidades não desenvolvidas. Mas essa cultura tem sofrido mudanças, graças em grande parte à exacerbação da competitividade e ao aumento progressivo das exigências. Para crescer profissionalmente, é preciso ter a convicção de algo fundamental em qualquer estratégia: não há possibilidade de vitória sem esforço. Tendemos a achar que as pessoas têm vocações especiais e acabamos por eliminar a ideia da luta. Segundo o historiador Leandro Karnal, todo ato de construir, de elaborar, de erigir, envolve a colocação de pedra a pedra. Um trabalho no qual – não tem outro jeito – a pedra seguinte só pode se apoiar na pedra anterior.

18

PARA PENSAR O FUTURO

Em 1941 o Brasil era uma miniatura pálida do que é hoje. Tinha pouco mais de 40 milhões de habitantes, dos quais mais da metade analfabeta. Praticamente sete em cada dez pessoas viviam em áreas rurais, com estrutura precária. Cerca de 50% das exportações restringia-se a produtos agrícolas. Era uma população jovem e economicamente inativa: a faixa etária de 0 a 14 representava 43% da população e, mais grave, quase um terço das pessoas entre 7 e 14 anos estava fora da escola. Aquela realidade de país pobre, pouco industrializado e analfabeto, no entanto, não foi o suficiente para aplacar o otimismo de um escritor austríaco, fascinado com o que viu e concluiu: o Brasil seria o país do futuro. Naquele ano, Stefan Zweig publicou *Brasil, um país do futuro*, o livro que deu ao Brasil um sobrenome. Além das belezas naturais surpreendentes, Zweig se encantou com a forma de vida suave e serena, um modo peculiar de o brasileiro encarar as próprias dificuldades – diferente da avidez e da ganância que ele identificava na Europa.

Muito já se falou – e se reviu – sobre esse otimismo exagerado do escritor austríaco, mas o fato é que a condição de "país do futuro" tornou-se uma marca do Brasil. Uma marca mantida ao longo do tempo a despeito das dificuldades constantes, dos ciclos de crescimento invariavelmente sucedidos por crises e recessão, dos movimentos pendulares entre otimismo e pessimismo que fundamentam os altos voos e as altas quedas na energia do brasileiro. Embora sempre citado como uma das desculpas para se temer processos profundos de mudança em nossa vida, esse pêndulo, no entanto, pouco influi na nossa capacidade de adaptação a novos contextos e no nosso enfrentamento da realidade que nos cerca. Afinal, como sublinhamos em boa parte deste livro, a resistência à mudança é um traço humano. Tão humano quanto a obsessão crescente pelo sucesso, a fixação em lugares-comuns, como o que associa sucesso e felicidade a muito dinheiro no bolso. Ao longo do livro, tentamos desfazer alguns dos mitos existentes em torno de algo tão relevante e central em nossa vida: o trabalho.

Numa de suas frases célebres, o escritor Albert Camus disse que a vida apodrece quando não temos trabalho. Em compensação, disse ele, quando falta alma ao trabalho, a vida sufoca e morre. Não por outra razão encontrar um trabalho que tenha alma tornou-se uma das grandes aspirações de nosso tempo. A busca por um sentido de realização passou a ganhar enorme força entre nós – e não somente nas novas gerações, mais acostumadas à ideia de arriscar, apostar, errar e recomeçar. Mas evidentemente não é uma tarefa fácil conjugar aquilo que consideramos nosso ideal de trabalho com a realidade de uma nova carreira – ou mesmo com a realidade de nossa carreira atual, da qual não queremos nos afastar.

O risco, como apontamos, é o medo aprisionar o profissional, o temor levá-lo à inércia, o receio diante de um eventual fracasso ou de uma decisão errada impedir o passo seguinte para a mudança. Congelar no momento de refletir e agir é mais regra do que exceção, infelizmente. Eis por que é tão importante o *processo de reflexão e autoconhecimento*. Conforme tentamos demonstrar ao longo deste livro, (re) pensar a carreira e, sobretudo, mudar a si mesmo e o que você faz abre as portas da incerteza, das dúvidas e dos medos. Não deixa de ser um salto no escuro. Precisamos estar preparados para isso, e uma ajuda externa é fundamental – pode vir na forma de coaching, de um amigo ou de um parente, o importante é seguir algumas linhas mestras, capazes de iluminar esse salto a ser dado. Eles não podem ser vistos como salvadores, nem como muletas existenciais, mas como um apoio fundamental na identificação de suas inquietações, propósitos de vida e planos de carreira.

Concordar com essa ideia não significa – convém insistir mais uma vez – a adoção de fórmulas prontas. Não há ponte terminada capaz de levar todos, unânime e uniformemente, ao sucesso, ao trabalho bem-sucedido, à alegria de viver e a uma carreira plenamente satisfatória. As pontes são múltiplas e complexas de construir. E cabe a cada profissional, com suas realidades específicas e seus dilemas próprios, encontrar o caminho que lhe parece adequado. É preciso reconhecer os limites de cada um na construção dessa rota. Nem todos têm a oportunidade da escolha. Há jovens dotados de incrível capacidade, senso de urgência, mobilidade, velocidade e simultaneidade, mas também existem os sem paciência nem noção de hierarquia e compromissos com metas e resultados. Há aqueles que não encontram seu espaço adequado no mundo do trabalho e também os que não têm escolha – se não aceitarem o que lhes oferecem, não sobrevivem. Existem mulheres e homens que vivem a dúvida de trabalhar ou cuidar dos filhos, e há ainda aqueles que ou trabalham ou morrem.

Independente desses perfis, uma coisa é certa e equânime: a capacidade de raciocinar, refletir e imaginar o que desejam para sua vida.

No mais uma vez mencionado livro *Como encontrar o trabalho da sua vida*, o professor Roman Krznaric cita o filme *Zorba, o Grego*, para ilustrar o rompimento com o passado e o ato de pensar num novo futuro. Zorba, o grande amante da vida, está sentado na praia com Basil, um inglês que foi para uma minúscula ilha grega com a intenção de abrir um pequeno negócio. No primeiro teste, o elaborado sistema de cabos que Zorba havia construído para Basil trazer madeira da encosta de uma montanha acaba se rompendo. Todo o empreendimento estava em ruínas. Portanto, um fracasso antes mesmo de começar. É quando Zorba diz: "Pelo amor de Deus, chefe, gosto muito de você e não posso deixar de falar. Você tem tudo, menos uma coisa: loucura! Um homem precisa de certa loucura, senão...". Basil responde perguntando: "Senão o quê?". No que Zorba emenda: "...ele nunca vai ter coragem de cortar a corda e se libertar".

Basil então se levanta e, fugindo dos seus padrões habituais, pede a Zorba que o ensine a dançar. "O inglês finalmente aprendeu", conclui Krznaric, "que a vida deve ser vivida com paixão, que os riscos estão aí para ser enfrentados, que precisamos aproveitar cada dia. Agir de outro modo é prestar um desserviço à própria vida".[1] Prender-se aos temores e às inibições significa condenar-se a uma existência de infelicidade e resignar-se a um futuro sombrio – ou, no mínimo, um em que determinadas situações nos prendem e nos impedem de ser livres e protagonistas da própria vida, considerando que o futuro se constrói não no próprio futuro, mas no presente.

Todos temos planos, projetos, desejos, expectativas, interesses e esperanças. E se o passado é uma história que podemos contar de várias maneiras, e o futuro é uma construção incerta e, por que não, imaginada, o real está no presente. É no aqui e agora que podemos pavimentar o caminho rumo a um futuro – que pode ser de mudança ou de estabilidade, de preservação do que temos ou de reconstrução dos planos concebidos tempos atrás.

Nós, os autores, esperamos que este livro tenha lançado em você sementes de inquietação capazes de fazer frutificar novos pensamentos, planos, desejos, expectativas e ações, e, assim, ajudá-lo a refletir mais sobre o que você quer, onde está e como projetar melhor o que deseja ser e fazer no futuro. Procuramos evitar o guia de autoajuda e lançar um imenso desafio. Está em suas mãos. Agora, ao trabalho!

---

1 Para todo o trecho sobre o filme *Zorba, o Grego*: Roman Krznaric em *Como encontrar o trabalho da sua vida*. Rio de Janeiro: Objetiva, 2012, pp. 160-1.

Contato com os autores
restartmeup2017@gmail.com
acsouza@editoraevora.com.br
achaves@editoraevora.com.br
mogliara@editoraevora.com.br

Este livro foi impresso pela Assahí Gráfica em papel *Lux Cream* 70 g.